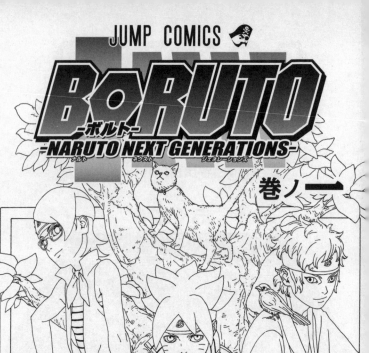

JUMP COMICS

BORUTO
―ボルト―
-NARUTO NEXT GENERATIONS-

巻ノ一

原作・監修:岸本斉史

漫画:池本幹雄

脚本:小太刀右京

うずまきボルト!!

BORUTO

-ボルト-

ナルト ネクスト ジェネレーションズ
-NARUTO NEXT GENERATIONS-

巻ノ一

📖 うずまきボルト!!

もくじ

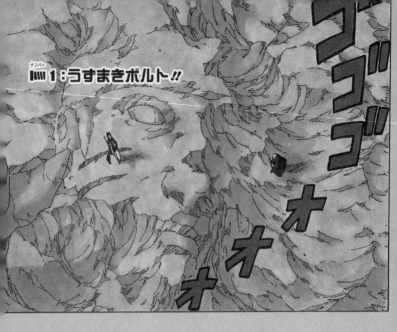

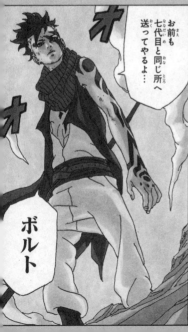

お前も七代目と同じ所へ送ってやるよ…

ボルト

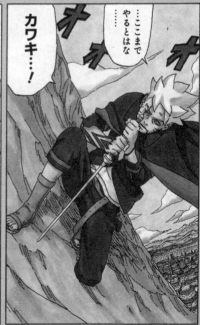

カワキ…!

…ここまでやるとはな……

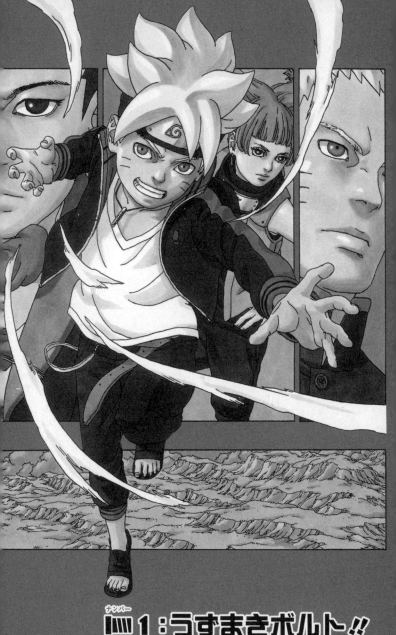

NO.1：うずまきボルト‼

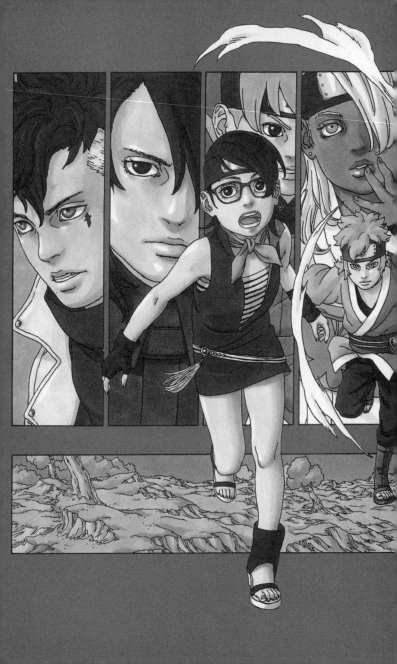

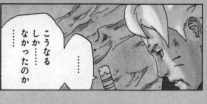

……
こうなる
しか……
なかったのか

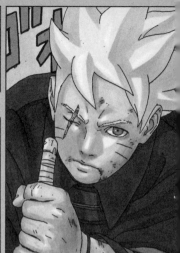

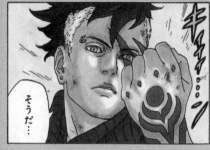

そうだ…

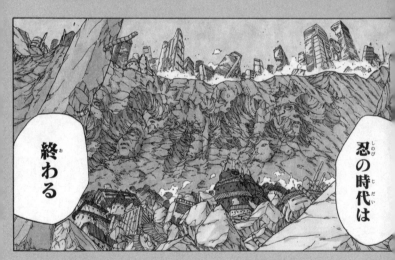

忍の時代は

終わる

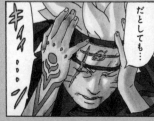

だとしても…

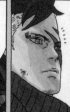

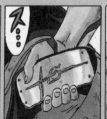

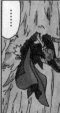

……

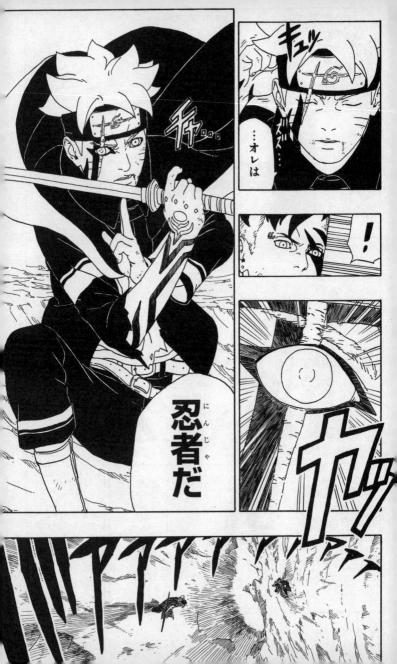

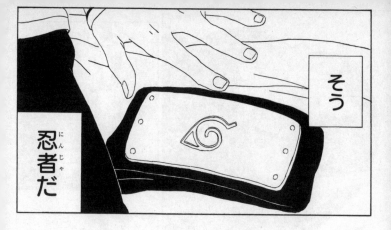

そう

忍者だ

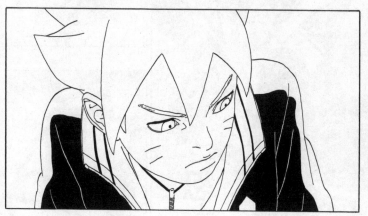

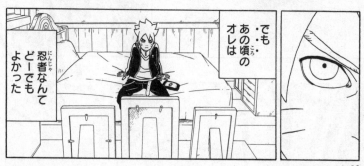

でも
・・・
あの頃の
オレは

忍者なんて
どーでも
よかった

里一番の忍者…

火影

でも残念ながら

これは少年が火影を目指す物語じゃない

それは父ちゃんの物語だった

これは

他でもない

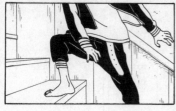
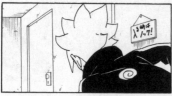
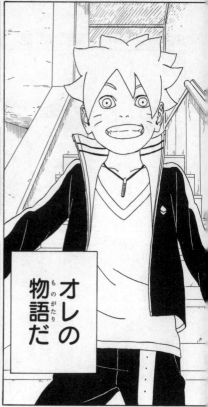
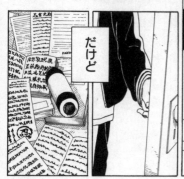
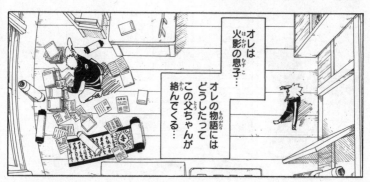

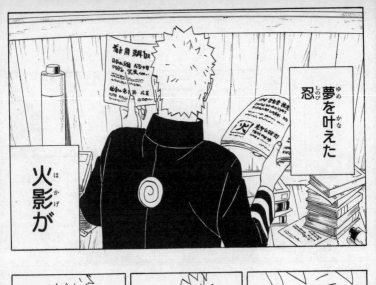

忍（しのび）

夢（ゆめ）を叶（かな）えた

火影（ほかげ）が

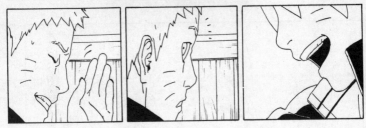

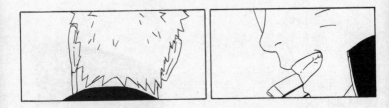

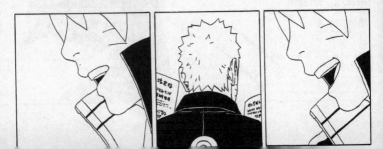

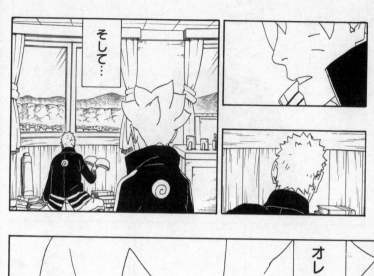

そして…

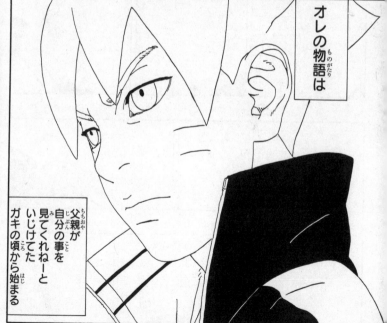

オレの物語は

父親が
自分の事を
見てくれねーと
いじけてた
ガキの頃から始まる

14

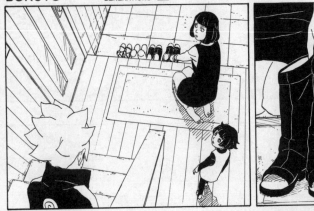
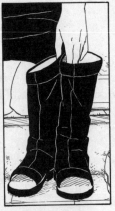
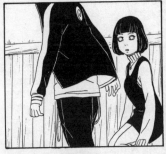
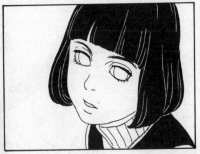
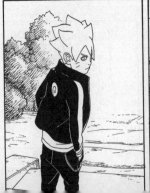
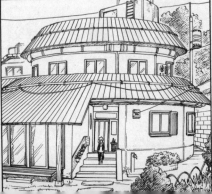

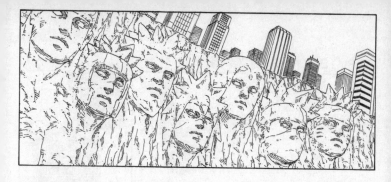

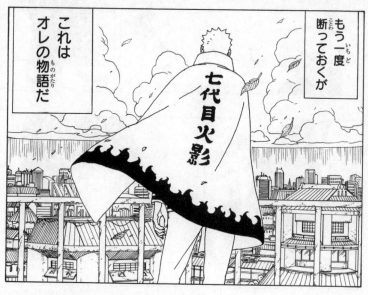

もう一度
断っておくが

これは
オレの物語だ

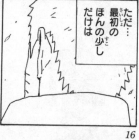

ただ…
最初の
ほんの少し
だけは

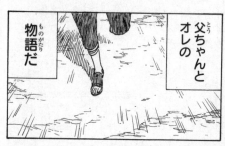

父ちゃんと
オレの

物語だ

16

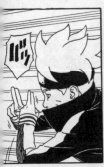

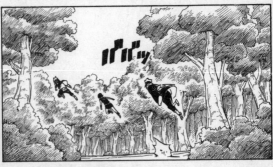

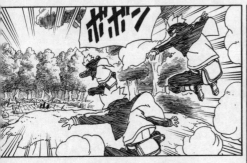

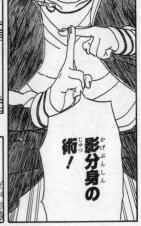

影分身の術！

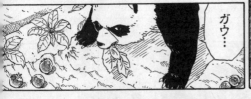

ガウ…

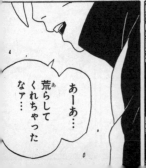

あーあ…
荒らして
くれちゃった
なァ…

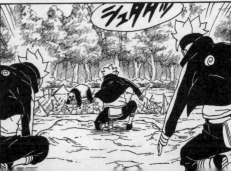

オレが相手だってばさ！

この クソパンダ！！

グルルルル…！！

油断しないの！

カワイイパンダに見えるけど凶悪なクマなんだから

そんなのどっちでもいい事でしょ

肝心なのはこの「クマパンダ」を木ノ葉丸先生の所に追い込む事

そもそもパンダはクマなんだよこのバカボルト!

ヨユーだって…ただのダッセーパンダだろ

ズン…

グァオオオオ

ガッ

バッ

!

ギュン

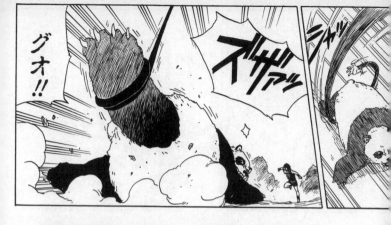

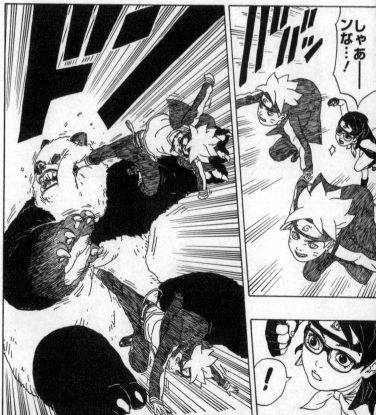

グゥゥ…

グオオ

な！

ヨユー
だったろ

チッ…

さすが
七代目火影の
息子にして
四代目火影の
孫…

……

いずれは
ボルトも
火影かな…？

…火影に
なるのは
私！！

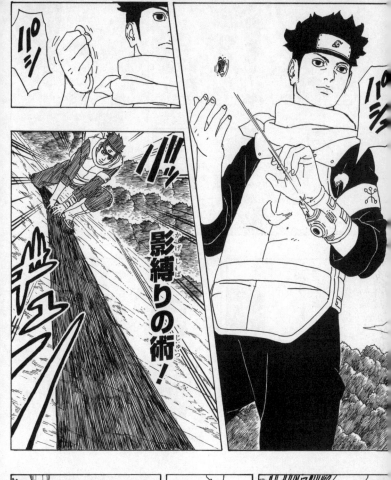

影縛りの術！

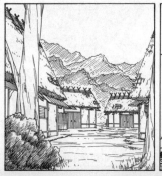

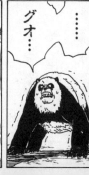

グオ…

…

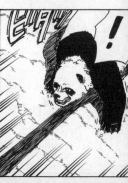

あとは回収班が来ますので

ありがとうごぜえます

さっきの術…あれって奈良一族秘伝の術ですよね？

木ノ葉丸先生

ああ…あれはな

もしかして…噂の新忍具ですか？

おお…かっけー！

耳が早いなミツキ！

さっきのはシカマルさんの影縛りを封じてた

こいつは忍術を封印できるんだ

この中にさっきの術が入ってるんですか？

ずいぶん小さい巻物ですね…

科学忍具班の試作品だ

コイツのデータ収集も今回の任務の内だったって事

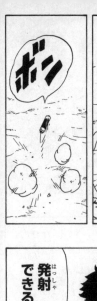

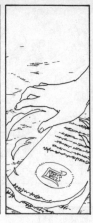

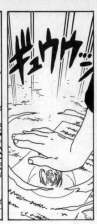

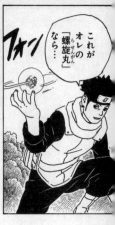

これがオレの「螺旋丸」なら…

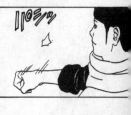

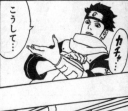

こうして…

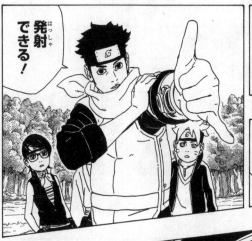

発射できる！

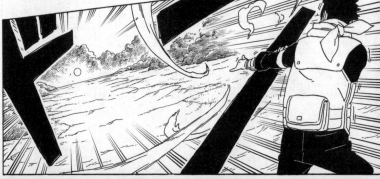

おおお
おおお!!

……すごい……!

ドォン

バキッ

バキバキ

……木ノ葉丸
先生……

……！

ドーッ

まあ
極端な話
忍者で
なくても……

ああ

チャクラの
有無は
関係ないからな

誰にでも
使える物なん
ですか？

……！

己のチャクラと
無関係な
だけに

多少狙いが
逸れるのが
問題では
あるが……

カラン…

25

そうですね

七代目火影
ナルトさんの
おっしゃる様に

大事なのは

ちゃんと
伝えていく
事だってばよ

永きに亘る
戦いの
歴史の中で

失われた
多くの命

その
尊い犠牲が
あったからこそ

今日の
平和と繁栄が
あるのです

こういった歴史を若い世代に伝えていく事は

平和を維持する上でとても重要な

我々皆の責務であると言えるでしょう

だんご

さてこの度五つの里によって共同開催される運びとなりました

「中忍試験」についてですが

受験される下忍の皆さんに何かアドバイスなどございますでしょうか?

雷

祝開通

大切なのは
3つ!

チームワークと
根性!

……

あと……

……

ま！
みんな
がんばって
くれってばよ！

……
2つ……
でしたね！

素晴らしい
コメント
ありがとう
ございました！

本日は
生放送で
お送り
しました

LIVE
KONOHA

ここにいる
父ちゃんも
影分身じゃ
ねーだろォ
な！

火影室
だぞ…
そんな訳
あるか

ボン

ピッ

CONY

CONY

それにここでは
「父ちゃん」はよせ

「火影様」か
「七代目」だ

へいへい……
まァ
カンタンな
任務で
ございやしたよ

オレ一人だって
やれたんだ
こんな任務

忍として大切なのはチームワークと根性だ

修業なんてしねーでも！

修業も3人で連携を

オレって影分身でいきなり3人になれたしィ

風遁に雷遁！最近じゃ水遁だって…

木ノ葉丸‼

…ハイ

お前こいつにいつも何教えてるんだ……！

バン‼

それより‼

忍として大切なのは

……

今先生はカンケーねーだろ‼

・・・・・・・父ちゃんとして大切な日だろ今日は！

分かってンよな!?

妹の誕生日まで忘れたら…

オレが許さねェ…！

……

……

カタスケか

…失礼します

カチャ…

コンコン

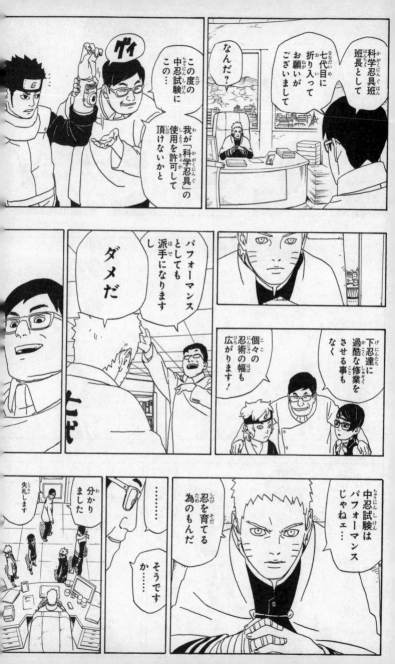

父ちゃんのダッセェ時代とは違うんだよ!

あっ おい ボルト!

キィ…

チラ

…………

…ったく…! 中忍試験の志願書渡そうと思ったのに…

バン!

ハァ……

次の新作ソフトも頼むってばさ!

お安い御用です

ところで… 若も中忍試験には出願なさるのでしょう?

どうぞ

いつもサンキュー!

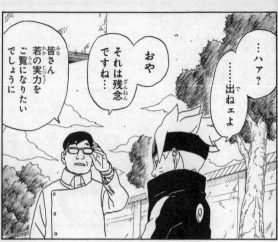

…ハァ？

……出ねェよ

おや
それは残念
ですね…

皆さん
若の実力を
ご覧になりたい
でしょうに

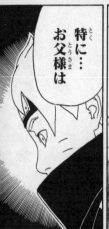

特に…
お父様は

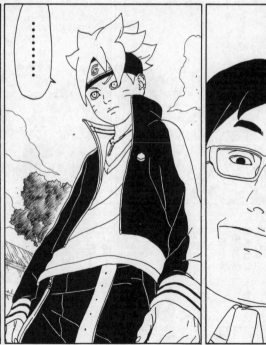

…………

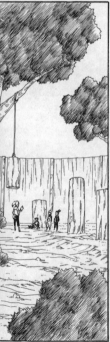

っっ一事で

今期の中忍試験の申し込み書！持ってきたから

僕達…出られるんですか！？

！

ガンバんなさい！

そーよ！

…めんどくせェ…

でも…まだルーキーだし自信ないなァ…

そうっすよモエギ先生…オレらまだまだ実力不足っすよ〜

ガリガリ

オイ聞いてンのかよデブ！

今期の中忍試験のきーてるきーてる

「根気よく中性脂肪とコミュニケーション」でしょ？

耳まで脂肪詰めてンじゃないよ！

ギャー
ギャー

ふぁぁ…

…………

ハァ…

この子達…実力はあるんだけど

精神面がこう…

しゃーない

ゴリ…

手紙！

預ってんのよ テマリさんといのさんから

ホイ

！

…………

か…母ちゃん!?

…………！

あんた達が試験の事でゴネたらコレ渡せってさ

試……
験……

ガンバろうぜ
いのじん

そ……
そうだね
ハハ……

…………

どったの?

書いたら提出
しますんで!

そんじゃ
また!

そうだな……
そろそろ
行くか

そういや
ボルトと約束
あったよね

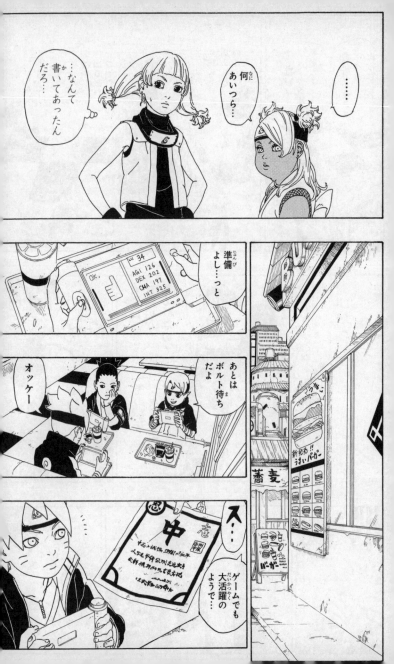

中忍試験はスリーマンセルが原則だよ

君が書かなきゃ ボクらも出られない

知るかよ

木ノ葉丸先生に頼まれたの！

オレは出る気ねーっつったろ！

…なんだよ ミツキ

グイ！

火影になるのが私の夢なの！

その夢をジャマしようっての？

バッ

……火影に……

オレは……

なりたくもねェ!!!

何よ！
火影の息子だからって跡継げるとでも思ってんの？

火影のせいでその周りが迷惑すっからよ…

……

何になろうがてめーの勝手だけどよ
火影になんなら一生一人でいろよな！

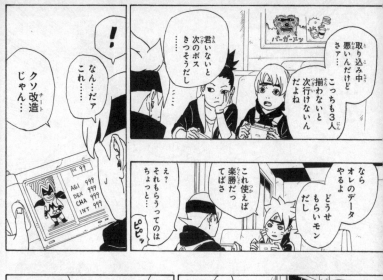
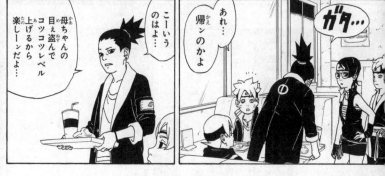
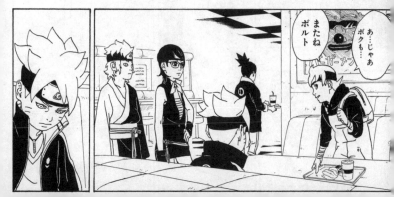

あのさァ……

私達一応チームなんだし……

少しは相談に……

せめて志願書は揃えないと…

……

ねえボルト！

私達のすごいところ！七代目に見せつけてやろうよ!!

この試験で！

……

皆さん若の実力をご覧になりたいでしょうに…

特に…お父様は

アハッ♪

…ね！

…単純

分ァった
よ…！

出りゃあ
いいんだろ
出りゃあよ！

……

ま…

あんたも色々
思うところは
あるんだろう
けどさ

立派なお父さん
なんだから…
もうちょっと
理解して
あげたら？

そんなら
お前ンとこ
だって…

父ちゃんが前に
言ってたけど
さ

サスケさんは
「もう一人の火影」
だって！

け…
謙遜
されてる
だけでしょ

サスケさんは
七代目と対等に
渡り合える
唯一の忍
なんだって
ボクの親も
言ってたよ

……

…何？

そういや
お前の
親って…

誰？

…ああ
それは

お兄
ちゃーん!!

私も
聞いた事
ない…

今日は私の
誕生日だよ
——っ！

早く
帰ろー！

オウ！

わりィ
オレ
先帰るわ！

じゃな！

ボルトって
あんな顔も
するんだね

う…

うん……
……

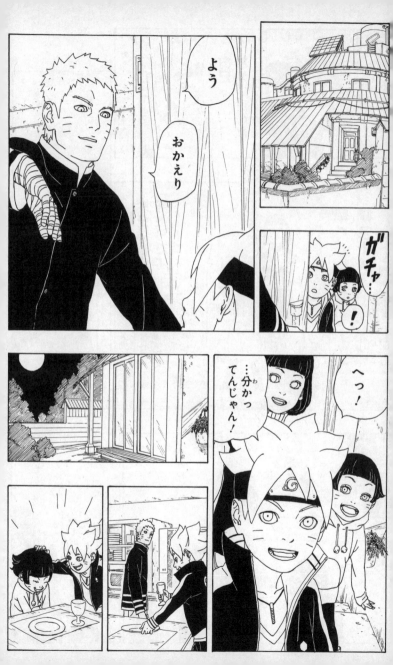

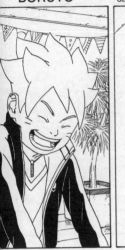

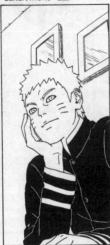

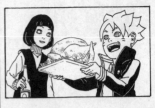

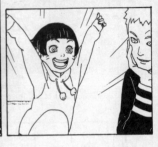

さあて

ワク ワク

お待ち
かね…

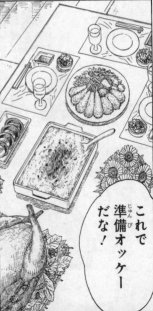

これで
準備オッケー
だな！

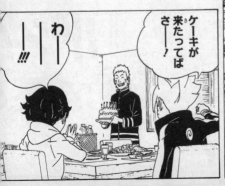

ケーキが
来たってば
さー！

わ

ー！！！

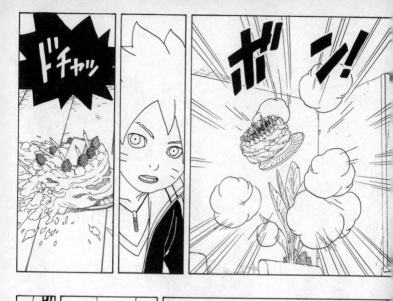

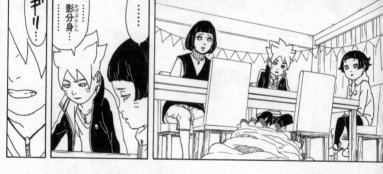

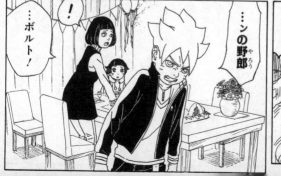

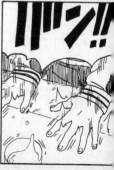

待ってボルト！

なんだよ！

決してあなた達をないがしろにしてる訳じゃないの！

お父さんは里の皆の為にずっと頑張ってる！

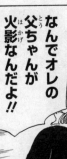

なんで！！

なんでオレの父ちゃんが火影なんだよ！！

一日中机の上で偉そうにしてるだけだろ！？

誰でもいいじゃねえか！！

火影は代々伝わった大変な任務なの…！

里にとってとても大切な存在なのよ！

じゃあ歴代火影の子供達にも

代々このくだらねえ状況をありがたーく伝えてきたんだろーよ！

そこ親子のこの
楽しい状況も

父ちゃんは知らずに
済んでたんじゃねーのかなァ！

そしたら

ウチはじいちゃんも
火影だったって
言うけどさ

父ちゃんが
ガキの頃には

じいちゃん
この世にもう
いなかったって
言うじゃん！

こんなんなら
火影の親なんて
最初から
いねーほうが
いいよ

……！

……

大切な日に
父さんが
いないのは
さみしいけど…

あなたは
お父さんの時とは
違う…！

あなたには
お父さんが
いてくれる…！

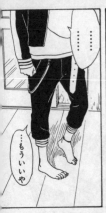

…………

…もういいや

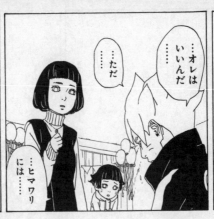

…ただ

…オレは いいんだ

…………

…ヒマワリ には……

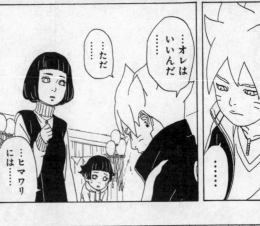

……

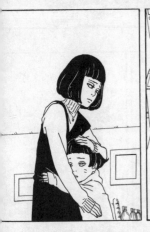

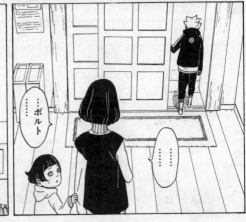

…ボルト

…………

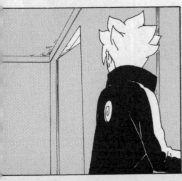

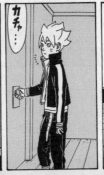

カチャ…

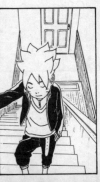

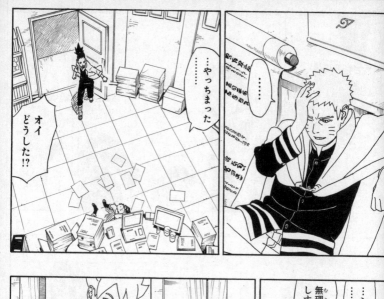

……やっちまった

オイ
どうした!?

……

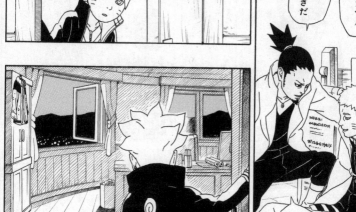

……

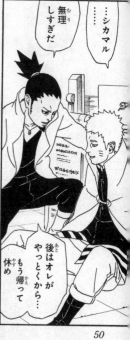

……

……シカマル

無理
しすぎだ

後はオレが
やっとくから…

もう
帰って
休め

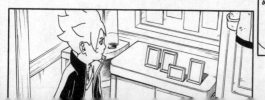

50

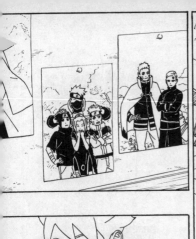
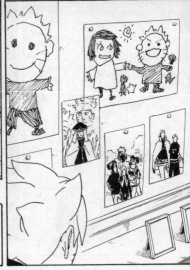
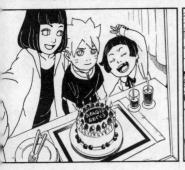
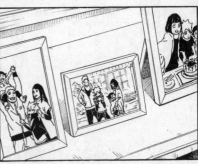
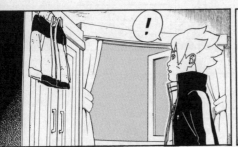
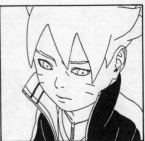

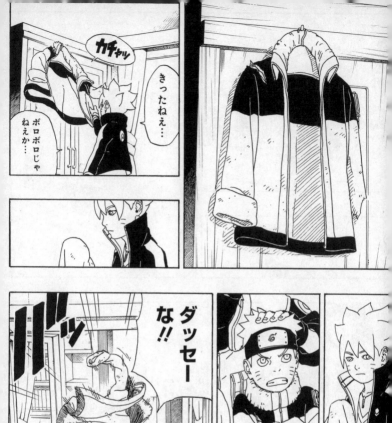

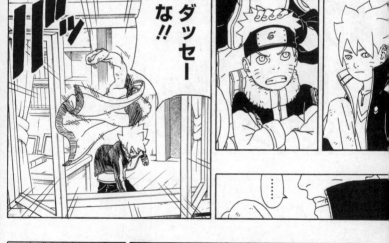

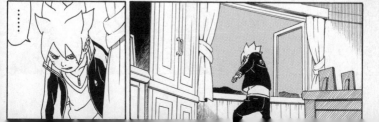

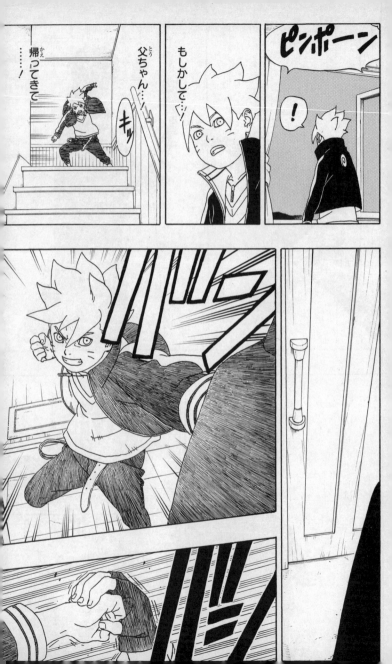

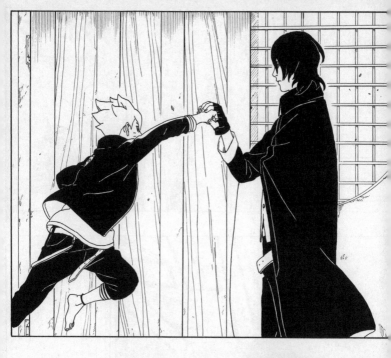

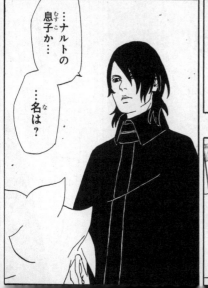

…ナルトの
息子か…

…名は？

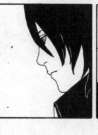

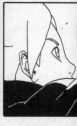

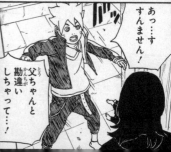

あっ…す
すんません！

父ちゃんと
勘違い
しちゃって…！

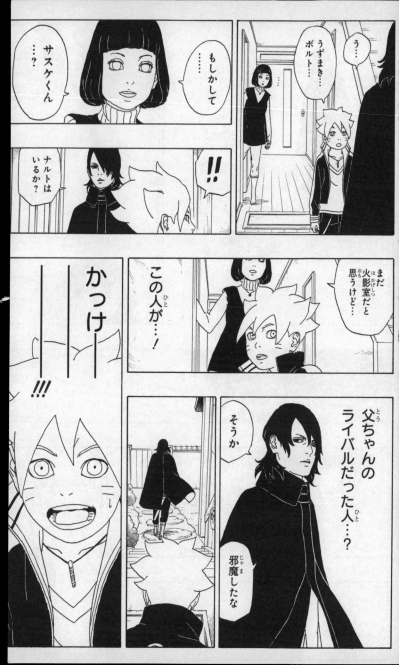

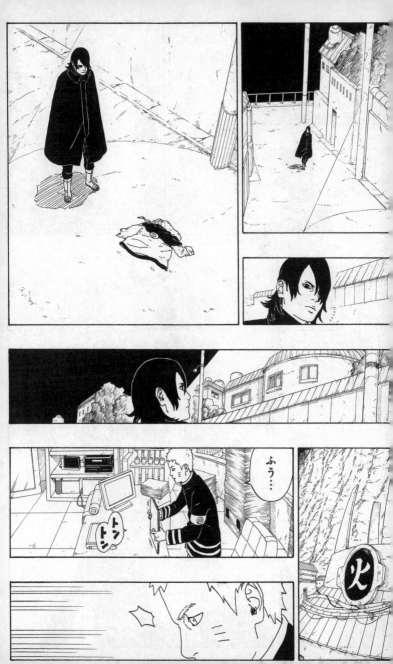

カグヤの城の土産だ

！

パシ

サスケ…！

嫌な予感はすんな…

何が書いてあんのかサッパリだが

オレの写輪眼でも読めん

…なるほど

帰って休んでる場合じゃなさそうだ…

すぐ解読に回そう

…それから

バサ…

これ…

なんでお前が？

来る途中拾った

…そうか

…？

お前のガキにも会った

…昔のお前そっくりだ

あいつは昔のオレとは違う…

むしろ昔のお前に近い

……

……

……イヤ

やっぱ昔のお前とも違うな

あいつの着てる服はいつもキレイでよ…

おろしたてみてえに

ヘッ

オレらみてえなのは…

もう時代遅れなのかもな…

忍の本質は変わらない

時代がどう変わろうともな…

…それは違うな

この議論は恐らくオレの勝ちだってばよ

…どうだかな……

…………

…………

ボルトも結局オレらと同じだって言いてえのか？

…フン

ウスラトンカチが…

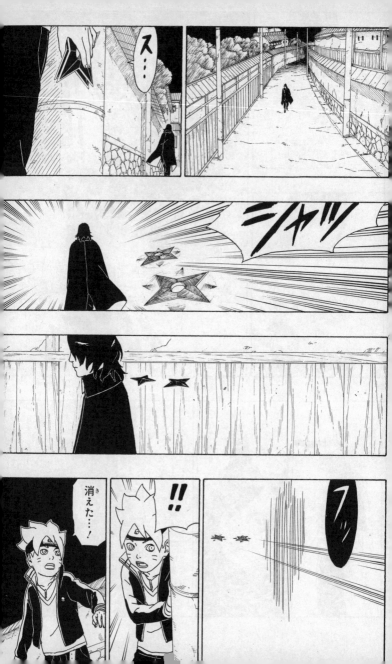

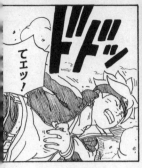

てェッ！

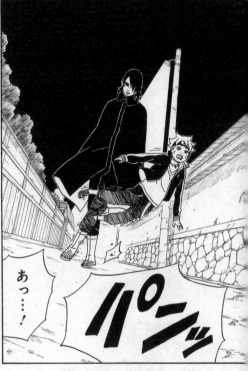

あっ・・・！

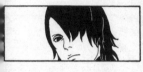

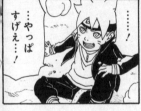

・・・・・

・・・やっぱ
すげえ・・・！

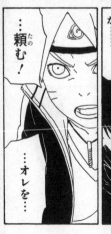

・・・頼む！

・・・オレを・・・

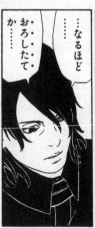

・・・・・

・・なるほど

・・・・・

おろしたて
か・・・・・

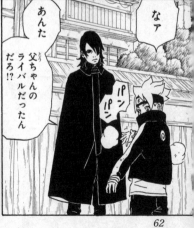

なァ

あんた
父ちゃんの
ライバルだったん
だろ！？

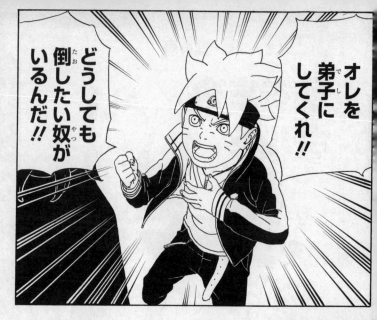

オレを弟子にしてくれ!!

どうしても倒したい奴がいるんだ!!

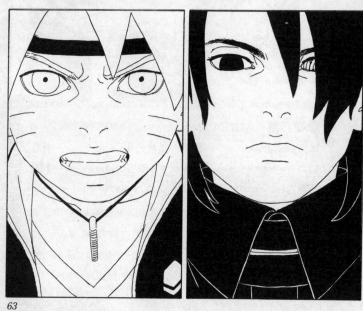

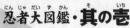

うずまき ボルト

「父ちゃんの ダセー時代とは もう違うんだってばさ!」

●能力値／Attributes

体力 Strength	120	敏捷力 Dexterity	160
知力 Intelligence	90	チャクラ Chakra	140
知覚力 Perception	130	交渉力 Negotiation	90

●技能／Skills

回避☆☆☆☆　素手格闘☆☆☆　忍術☆☆☆☆　ほか

●術・能力／Ninja Arts

水遁・飛沫弾、風遁・烈風掌、雷遁・紫電、影分身の術、ほか

※能力値は常人の平均が60、下忍の平均が90。
技能は☆1〜5つまであり、☆5つで超一流。

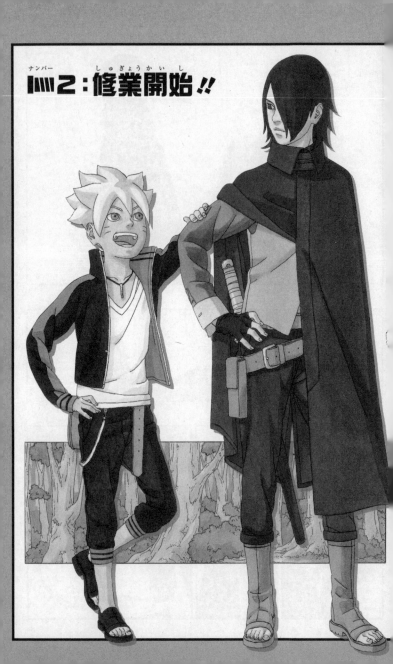

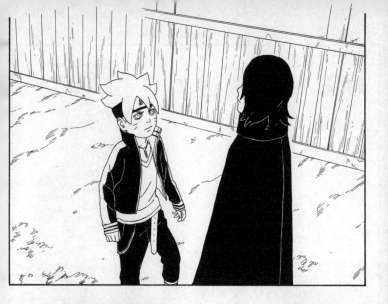

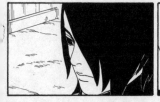

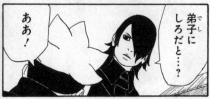

ああ！

弟子に
しろだと…？

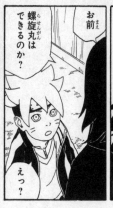

お前螺旋丸は
できるのか？

えっ？

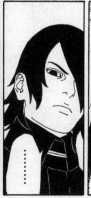

…………

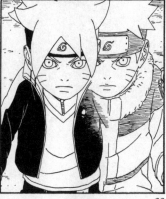

螺旋丸だ

できないのか？

…だったら弟子はないな

簡単だってばさ！

すぐマスターしてきてやんよ！

…！

あいつは昔のオレとは違う

オレらみてぇなのは

もう時代遅れなのかもな…

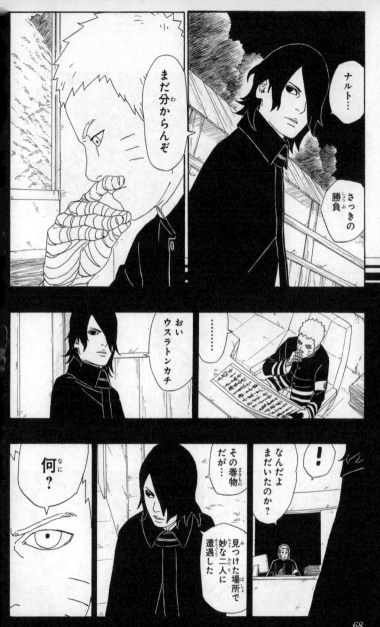

68

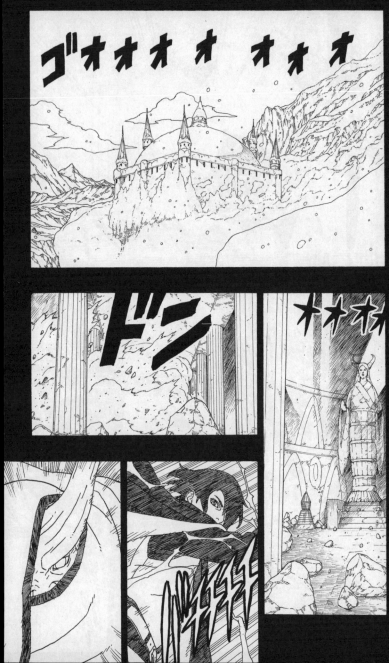

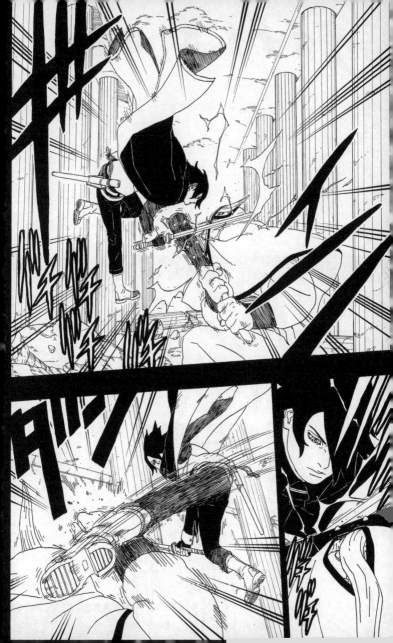

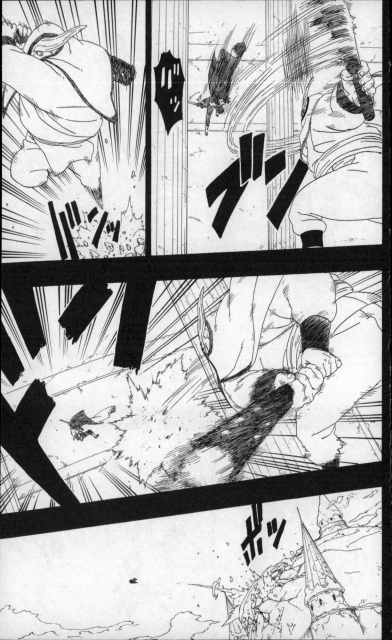

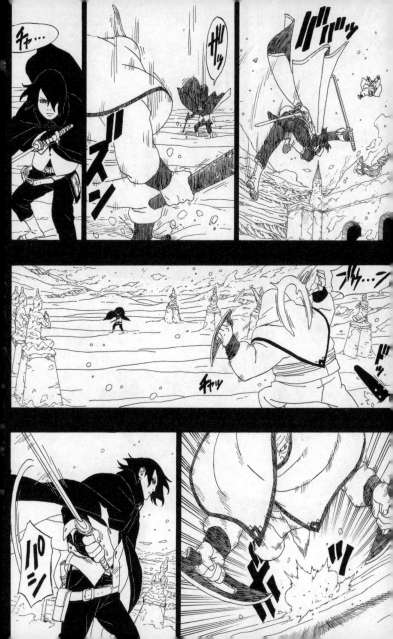

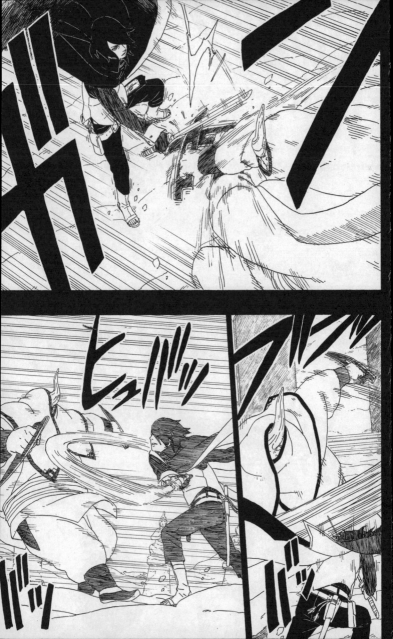

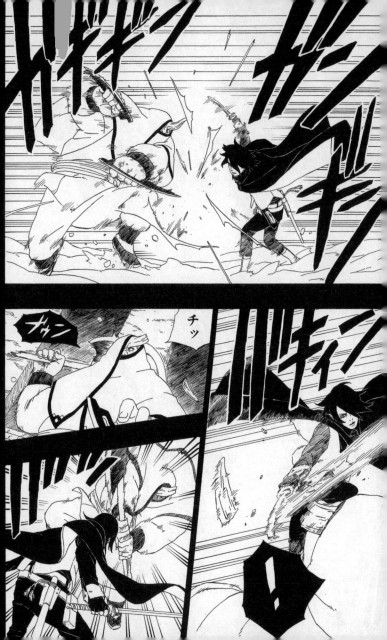

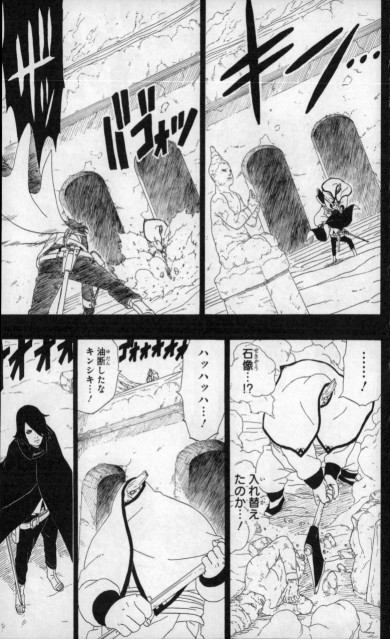

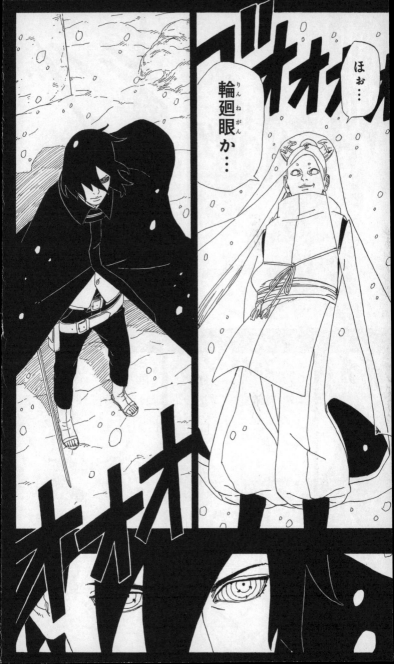

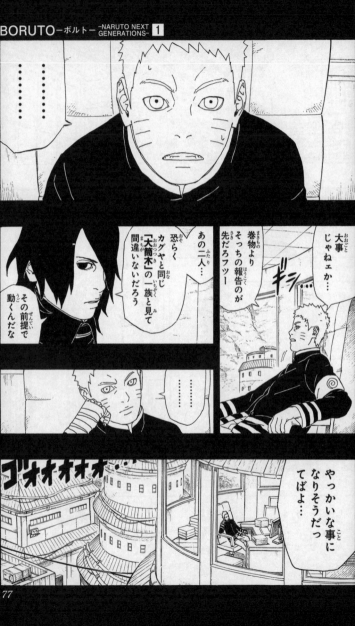

…るっせェなァコレ…

朝っぱらからなんだコレ急に…

木ノ葉丸先生エ——！！

こーのーはーまーる——先ッ生エエ——！！！

先生の『螺旋丸』！！

教えてくれってばさ！！

オレは今すぐにでもその術をマスターしてーんだ！！

あァ？

78

……！

ほおほお…

つまり
中忍試験の
隠し玉！

七代目を
びっくりさせて
やろーって
腹だな？

クゥ〜！
このオレが師として
この術をご子息に
伝授する事に
なるとは‼

おお
四代目！
四代目！
七代目！

この大役
しかと
仰せつかまつり
ますぞコレ‼

えへ

ま…
まあね

そーか
そーか！

お前もやっと
忍らしくなって
きたな！

……………
ハァ〜〜〜あ

さっきまでの勢いはどーした!?

オラもう一回!

オレのやり方よく見てマネしてみろコレ！

分かってんよ！

けど全っ然うまくいかねーじゃんコレェ!!

言い方はマネしなくていいんだよコレ！

いや今の「コレ」は言い方の「コレ」じゃねーよ！手にある「コレ」を「コレ」って

コレコレうるさいぞコレ!!

そりゃどっちだよォ!!!

…………

大体何でまず水風船なんだよ!?

もっと効率のいいやり方ねーのかよォ！

四代目火影様…
つまりお前の
じいちゃんが

3年かかって
この術を
開発した…

そこから
さらに…
自在に
操れるように
なるまでに
約半年！

会得難易度
Aランクだ

簡単にいくと
思ったか？

・・・・・・・・・

頑張れ
天才！

ホイ！

ポス

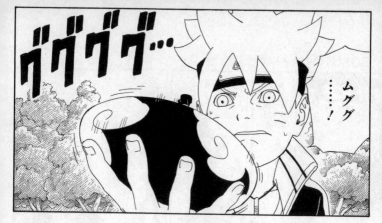

グググ グ…

……ムググ！

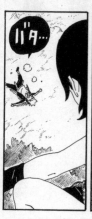

バタ…

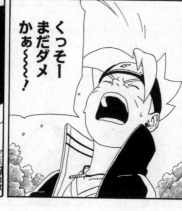

くっそー
まだダメ
かぁ～～～！

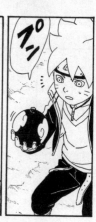

プン

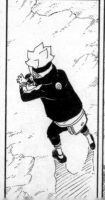

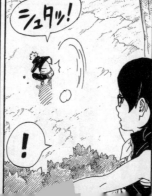

シュタッ！

！

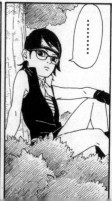

……

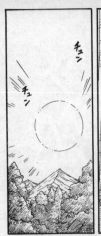
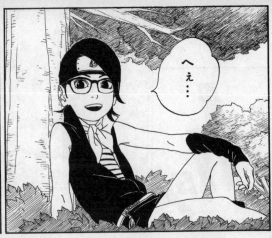

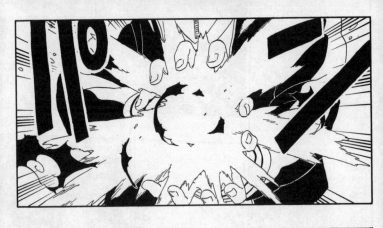

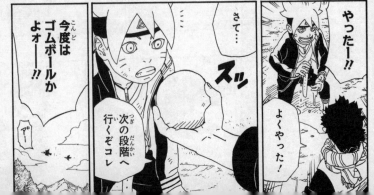

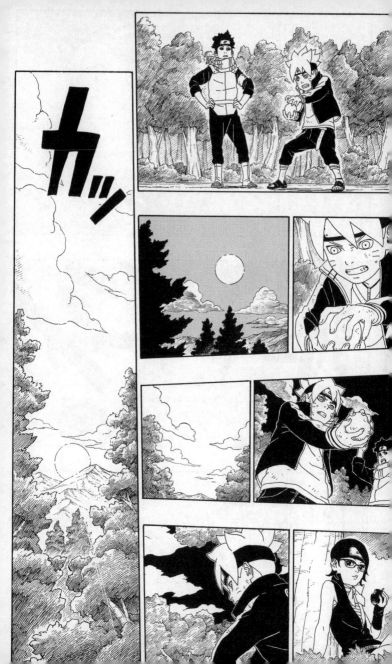

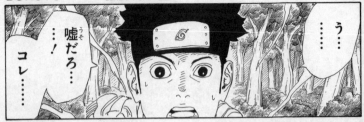

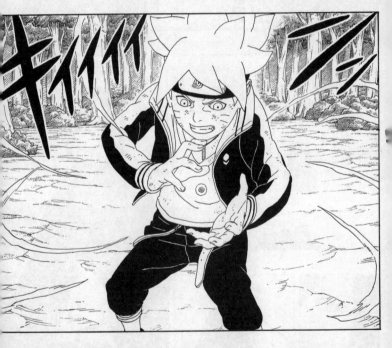

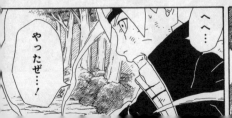

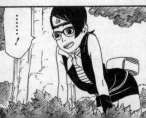

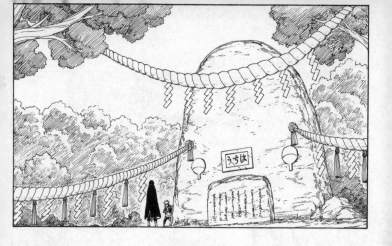

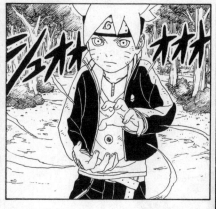

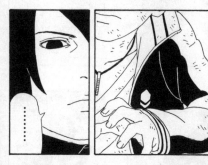

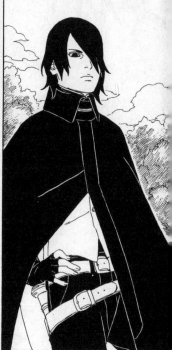

何がおかしいんだってばさ！

ちゃんと習得してきたぜ！

随分小さいな…

！

とても螺旋丸と呼べる代物じゃあない

…！

…！

…くっ…！

だが…

くっそーーッ！！！

ブリッ

フォン…

シュイイィ…ン

くっ！

……………

……………

……………

相変わらず厳しいね！パパ

トッ

ボルトの事知らないだろうから言っとくけど

あいつ普段こんなキャラじゃないから！

ここまでやったのが奇跡！

分かる？ねえ！

…早とちりだ

えっ？

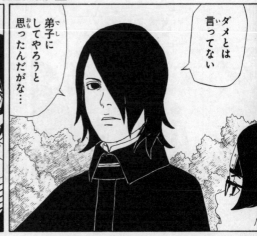

ダメとは言ってない

弟子にしてやろうと思ったんだがな…

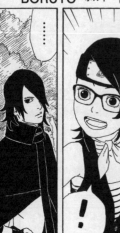

……

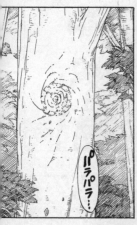

パテパラ…

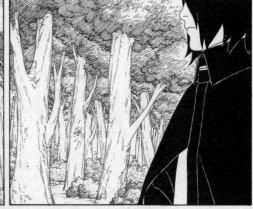

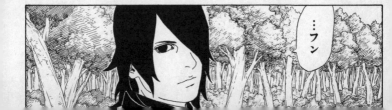

…フン

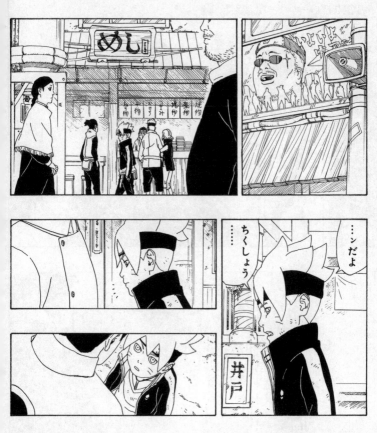

…ンだよ

ちくしょう

……

おや
若…

どうされ
ました？

それはひどい話だ

そういう事ならまさにここでの研究がお役に立てる事でしょう

クールにスマートに

小さな労力で限りなく大きな成果を導き出す

それこそが…

君達次世代の忍者のあるべき姿だ

ズ…

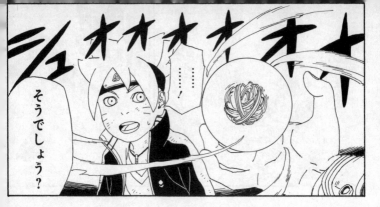

そうでしょう？

……！

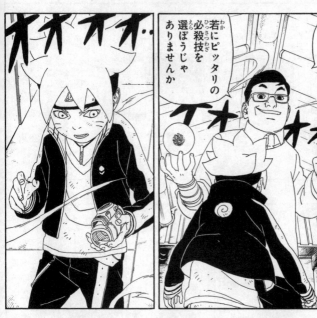

さあ…

若にピッタリの必殺技を選ぼうじゃありませんか

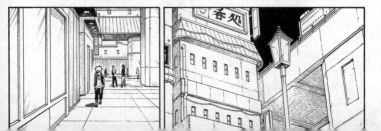

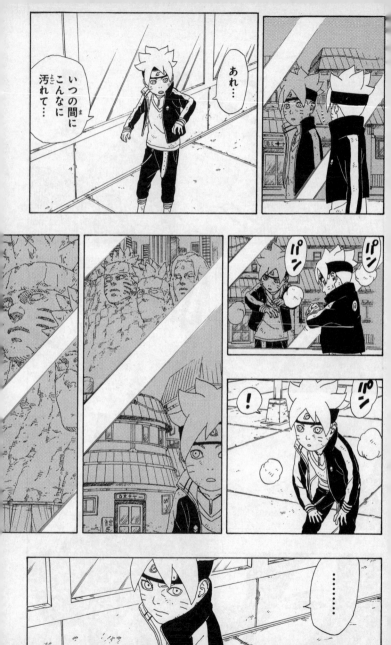

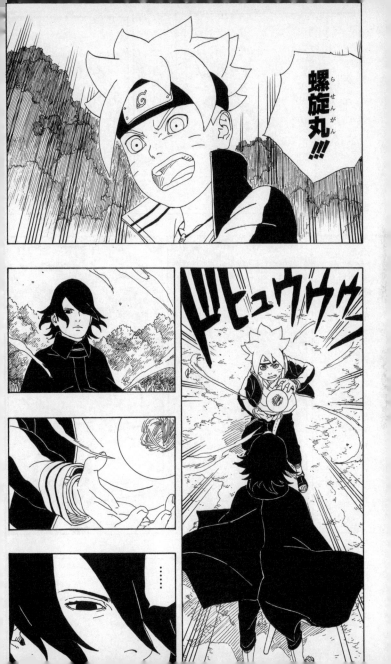

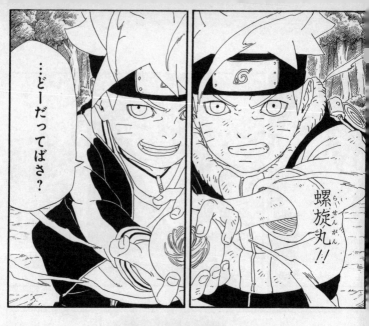

…どーだってばさ？

螺旋丸！！

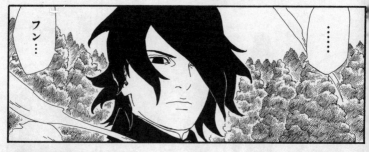

フン…

……

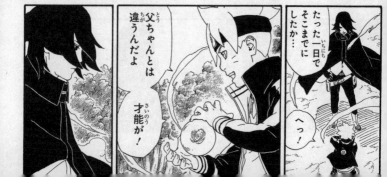

父ちゃんとは
違うんだよ
才能が！

たった一日で
そこまでに
したか…

へっ！

…確かに

そう思いたくは なかったが

お前は ナルトとは 違うようだ

つーか

どうなん だよ!?

弟子に してくれるって 話!

え?

……

ザ…

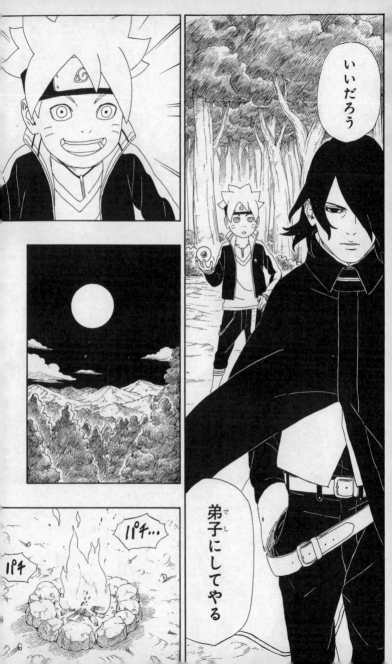

なあ

父ちゃんの事
色々教えてよ

パチ…

パチ

そりゃあ
うるさい
バカだったさ

火影になるって
そればっかりのな

かなりの
ウスラトンカチ
だった……

パチ

ウスラ
トンカチ…？

？

…よく
分かんねー
けど

ようするに
オレが
知りてーのは

父ちゃんの
「弱点」
だってばさ！

そ！

何か
ねーかな？

……弱点

……？

何せあいつは
弱点だらけの

典型的な
落ちこぼれ
だったんだからな

数え出したら
片手の指じゃ
足りん……

……そんなもの

えっ？

だが己の力で
それらを克服し

七代目火影

火影と
なった

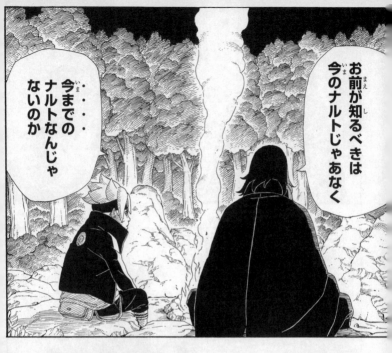

お前が知るべきは
今のナルトじゃあなく

今までの
ナルトなんじゃ
ないのか

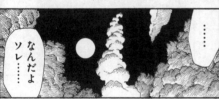

・・・・

なんだよ
ソレ・・・・・

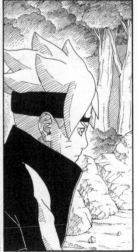

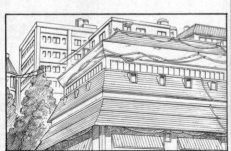

いよいよね！

頑張んなさい！

朝から元気だねー ママ…

パパが久しぶりに帰ってきたのがそんなに嬉しいんだ

ちょっ…！別にそんなんじゃ…

なに…

…私分かるよ ママのそういうの

にっ！

じゃ！

いってきまーす

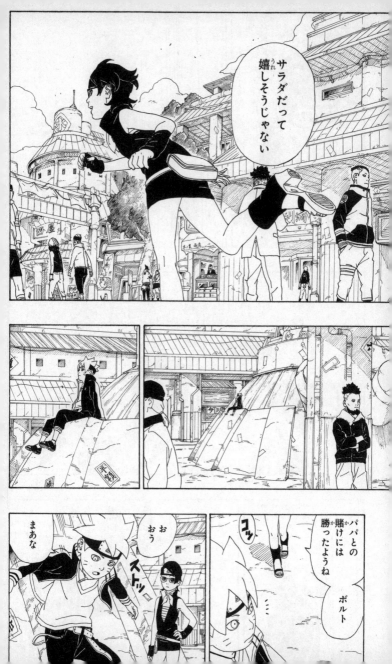

で？

パパの弟子になってどうしようっての？

へへ…

父ちゃんの弱点を教えてもらう！

七代目に挑む前に私達まず中忍にならないといけないの！

分かる？

ハァ…

私…アンタの事どーこー言うつもりないけどさ…

だからこそだってばさ！

サスケのおっちゃんに色々教えてもらって中忍試験で見せつけてやんだよ！

何って…

…そりゃあ

…オレ「達」ねそこ

…ったく何考えてんだか…

いずれ父ちゃんを倒すオレの力を！

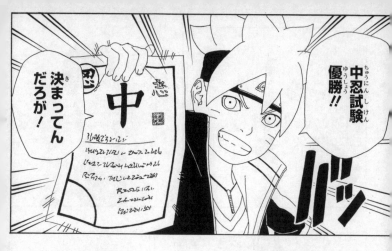

中忍試験
優勝!!

決まってんだろが!

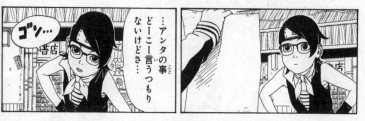

…アンタの事
どーこー言うつもり
ないけどさ…

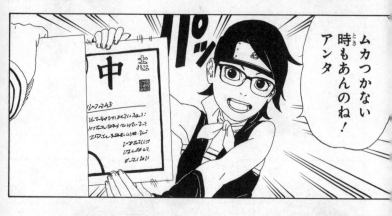

ムカつかない
時もあんのね!
アンタ

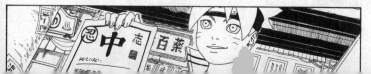

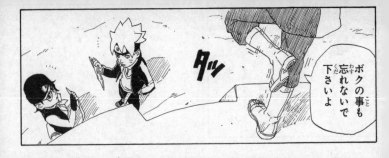

タッ

ボクの事も忘れないで下さいよ

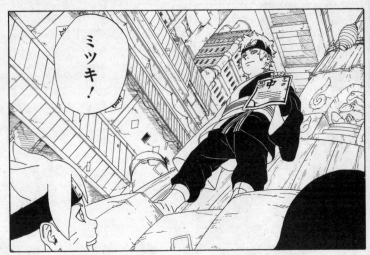

ミツキ！

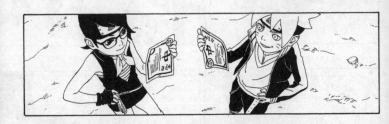

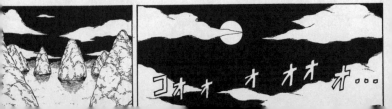

コォォォォォォ…

よもや我らの求めるチャクラの実が獣の姿と化しているとは

ぐ…!

グヴ グヴ…

しかも実はいくつもに分かたれ各地に分散しているようです

こいつはその内の一体に過ぎません

ゴッォ オオオ

キュイィィィィィ

ガパ…

ゴワリ…

やれやれ

ひとつひとつ回収する他ないようだな

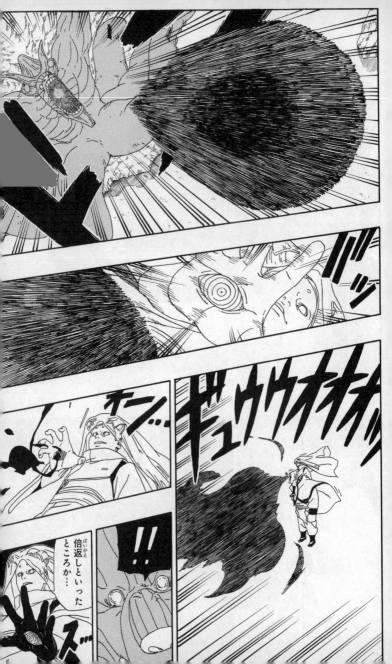

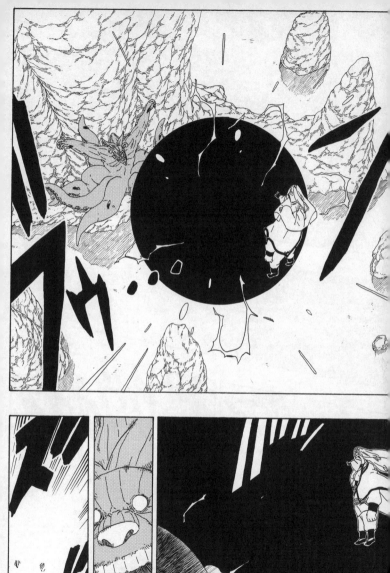
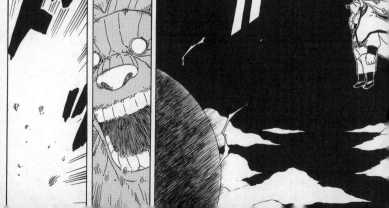

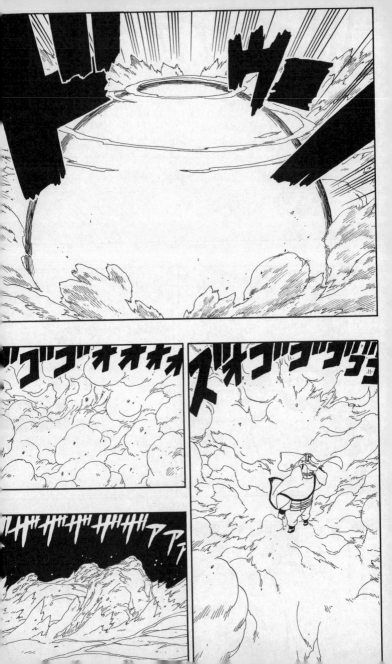

ザァァァァァァ

ウウウウ……

ウウン…

獣と化した
チャクラの実が
人に取りついて
いたようだな

ギュウウウ

鉄

…チッ
たった
これだけか

ここより
そう遠くない
地に
より大きな
チャクラ反応が
あります

パツ

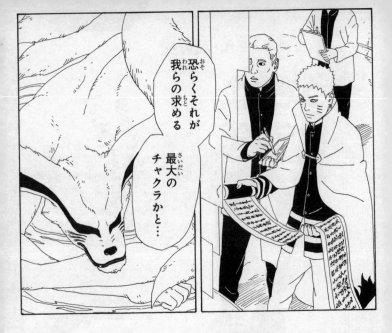

恐らくそれが
我らの求める

最大の
チャクラかと…

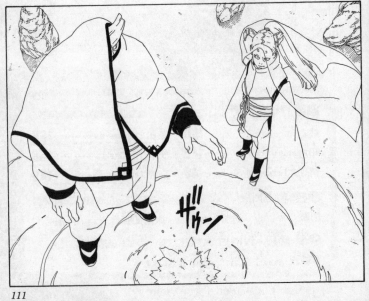

ザゥーン

うちは サラダ

「火影になるのは あたしの夢！」

●能力値／Attributes

体力 Strength…………160

知力 Intelligence…………145

知覚力 Perception…………140

敏捷力 Dexterity…………130

チャクラ Chakra…………150

交渉力 Negotiation…………146

●技能／Skills

射撃 ☆☆☆☆☆　　幻術 ☆☆☆☆☆　　忍術知識 ☆☆☆☆☆　　ほか

●術・能力／Ninja Arts

写輪眼、風魔手裏剣・影風車、雷閃、ほか

※能力値は常人の平均が60、下忍の平均が90。
技能は☆1〜5つまであり、☆5つで超一流。

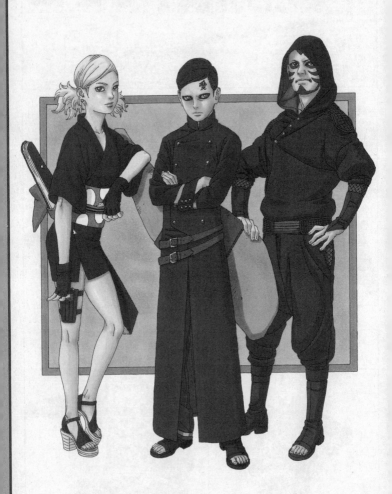

ゴオオオオ

ゴトトトン　ゴドトトン

そろそろ
木ノ葉に
着く頃だな

いよいよ
明日から
中忍試験だ

気合い十分か
お前ら

シャン♪
シャン♪
シャカシャカ♪

ウッス!!

義父上の名を汚す事なきよう

我ら3名とも必ずや勝利してご覧に入れます

♪月♪

・・・・・・・・

そう気負うなシンキ・・・

お前が意識すべきはオレではない

まだ見ぬ他里のライバル達だ

・・・他里など問題では

・・・・・まあいい

ともかく
お前達

今日はゆっくり
休むように

はッ！

三百三十三
さんびゃくさんじゅうさん

三百三十二…！
さんびゃくさんじゅうに

技技
心の打台

限界を越える超鍛錬シリーズ⑧
ストレッチ　一体セラピー
マイト・が

青春が呼んでいる

全五巻

うう…明日は本番だ…!

緊張してヘマでもしたら修業の成果もクソもない!

「平常心」だ!「平常心」を保てェェェェ

うおお…!

緊張してきたァ〜〜〜〜〜〜ッ

シュルルルルル

コン

少しは
曲がるように
なってきたか…

グッ

いよっしゃ
ア‼

次は
あれだ

さっきの的を
まわり込んで
当ててみろ

いいだろう

あんなの
どうやって…

チャッ

ええ
ー‼⁉

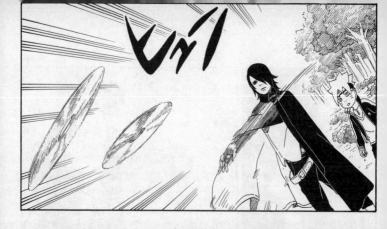

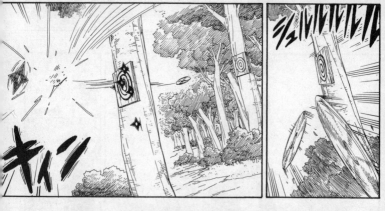

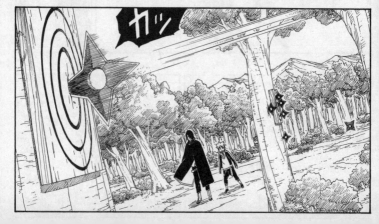

……!!

今は一例に過ぎない

やり方は無数にあるだろう

少しは自分で考えろって事だ

すぐに解答を求めるな

・・・・・

…分かってるよ

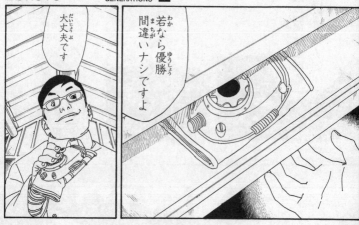

若なら優勝間違いナシですよ

大丈夫です

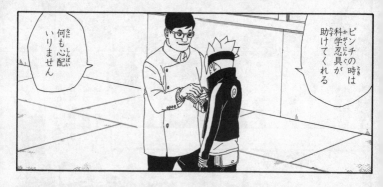

ピンチの時は科学忍具が助けてくれる

何も心配いりません

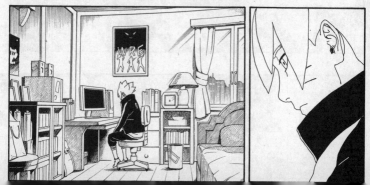

ではこれより

中忍選抜試験を開催する！

みんな日々の修業の成果を存分に発揮してくれ！

ふぁぁ…

ボリボリ

まずは一次試験！

……
やる気あんのかあいつら…

バササ…

○×クイズによる問題です

正解だと思う方に3人揃って移動して下さい

それでは問題！

【問】忍軍師捕物書記に登場する忍月といえば日、山といえば川、花といえば蜜◎か×か？

『忍軍師捕物帳』5巻の書記に登場する忍合言葉

「月といえば日」「山といえば川」「花といえば蜜」である

○か×か？

全然分かんねーやサラダ知ってっか？

ざわ

ざわ

ざわ

まあね…

でも4巻までしか読んだ事ない…まさか5巻があったなんて…

ちったぁ考えようぜオイ

じゃあお手上げだね

ボルト

私のパパなら
どっちを選ぶと
思う？

え？

……ンーッ

サスケの
おっちゃん
なら
「×」かな
やっぱ！

素直じゃ
なさそう
だし！

って
何だよ
急に？

私

パパとは
違う道を選んで
火影になるの！

あっ…
おい！

行くよ
二人共！

タタッ

じゃあ
「○」で
いいんだね！

そ！

皆さん分かれましたね

「不正解」

つまり「失敗」した奴は「真っ黒」になって失格です

真っ黒?

?

正解は!

バッ

書記に登場
月といえば日、山とい
川、○か×か
花といえば蜜で

ピピピピ　ピピピピ

ピピピ　ピ　ピ　ピ　ピ　ピ　ピ

ゴクリ…

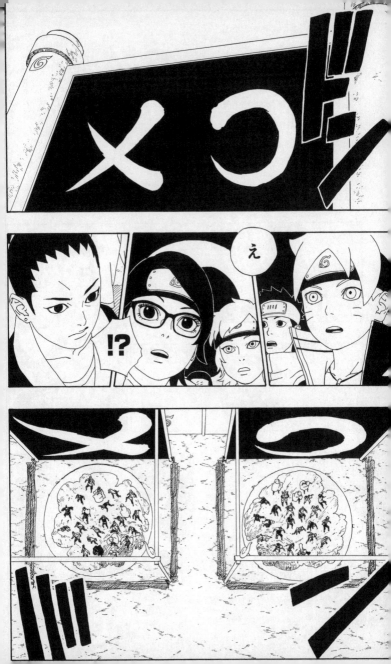

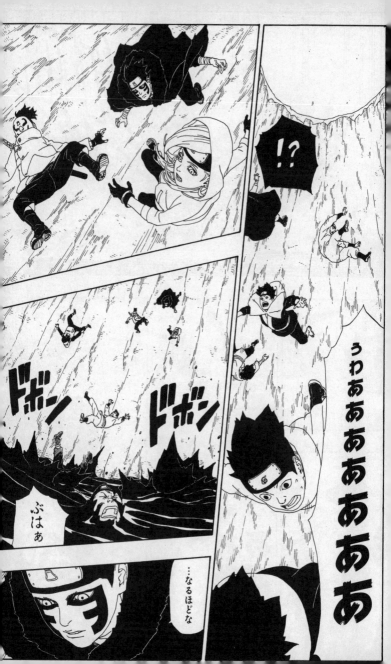

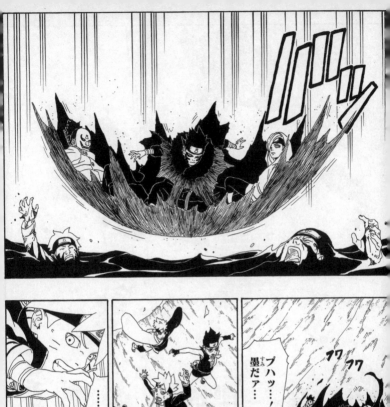

…………

…くそッ!!

…これで
終わりかよ…！

わぁぁ
ぁぁぁ
ぁぁぁ

ブハッ…！
墨だァ…

フワ
フワ

墨のプール
だァァァ!!

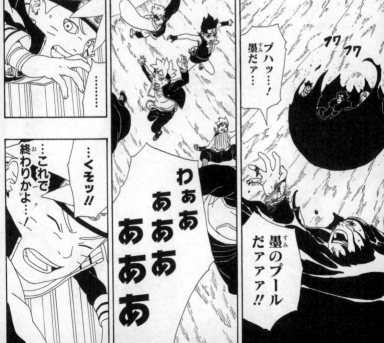

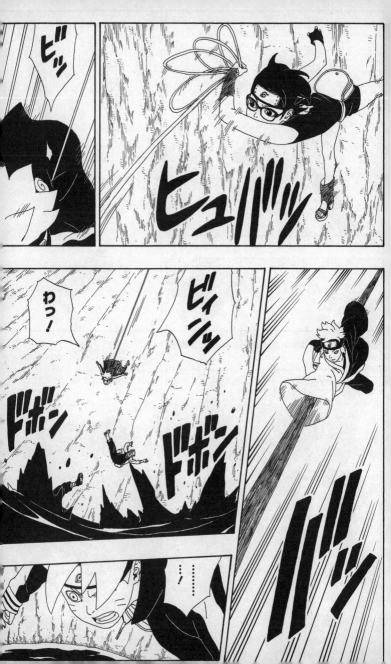

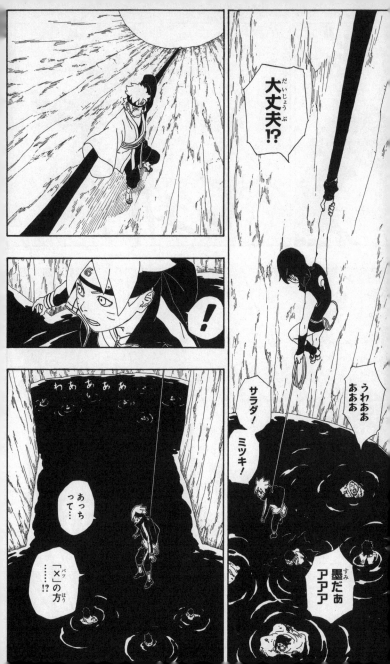

恐らくこのマルップの「○×の選択」に意味はない

やっぱり「5巻の書記」なんてなかったのよ

初めからこんなクイズででたらめ…

失敗した奴は真っ黒になって・・失格

確かにそう言った

つまり「黒くなるな」って事だ

日頃の修業の成果とやらを発揮してな…

ふぇぇ…

いかにも父さんの考えそうなクソテストだよ…

その通り！

迫り来る墨のプールを前に

自分達が間違った選択をしたと受け入れ

そのまま落ちて黒くなる奴！

そんなタマなしに中忍になる資格はありません

この一次試験本当の選択は

追い込まれてからの一瞬の二択！

「諦める」か「諦めない」かです！

墨のプールに落ちてない奴が正解者！

中忍選抜一次試験

これにて終了！

132

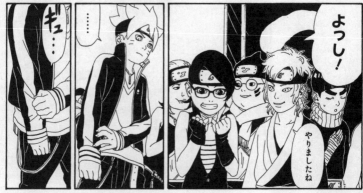

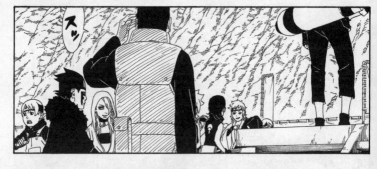

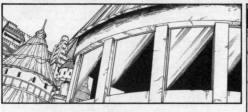

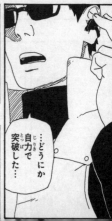

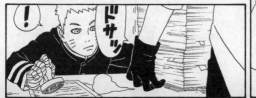

…オウ

そっか

ボルト達

一次通ったぞ

………

…うるせーな

………

なんて顔してんだよてめー…

まだ家でうまくいってねーのかよ

ギッ

………

オレも人の事言えねーけどよ

一言くらい言ってやってもイイんじゃねーか？

…ま

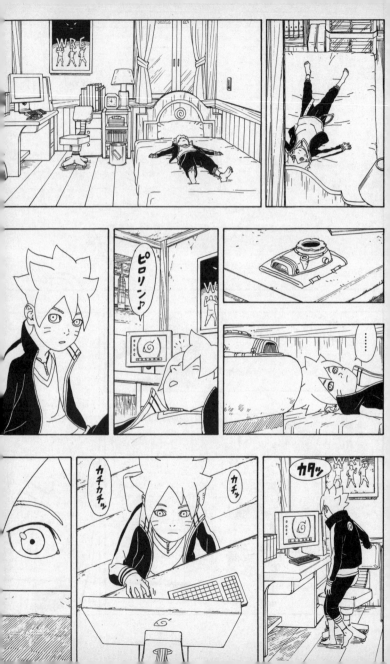

ボルトへ

一次試験突破おめでとう!

次もがんばれ!!

父ちゃんより

差出人：うずまきナルト

カチ…

‥‥‥‥‥

‥‥メールって

影分身すらよこさねーのかよ

クソオヤジ

‥‥‥‥

136

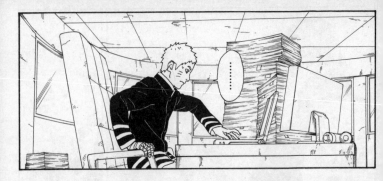

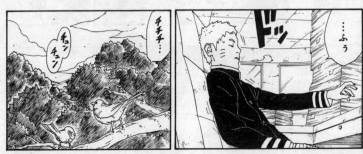

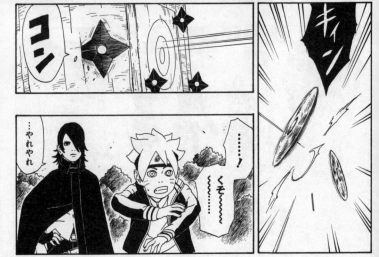

手裏剣術はサラダの得意分野だロォ!?

サスケのおっちゃんの娘でうちは一族の血筋なんだからよォ!

ムッ

ボルト…

ス…

お前の言う道理なら

ボッボッボッボッボッボン

!!

この術はお前の得意分野って事になるが？

…そうきたか

父ちゃんお得意の影分身……

もう言い訳できないぞ

ナルトは千人以上に影分身する

…………

ス…

見てろよ……

二次試験ではぜってー活躍してやるってばさ！

139

影分身の術！！

ボン ボボン

……

やっぱ4体ぐらいが限界か…

二次試験は旗の取り合い

己の陣地の旗を守りつつ

敵陣地へ攻める

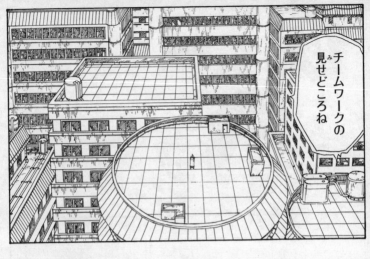

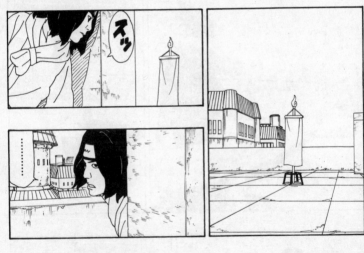

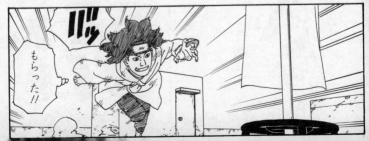

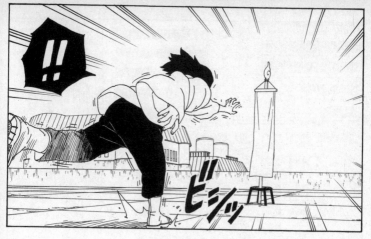

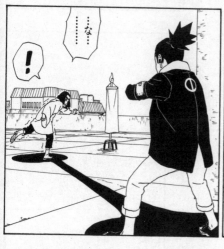

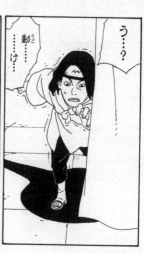

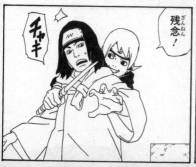

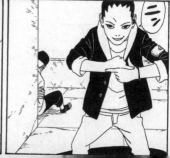

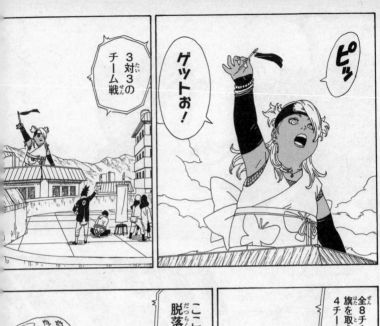

ピッ

グットお！

3対3の
チーム戦

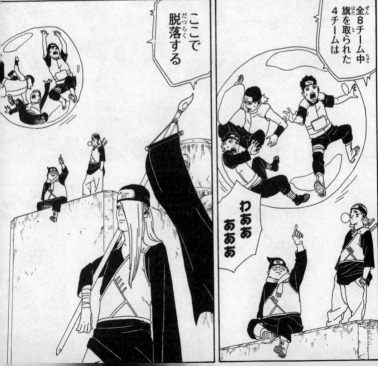

全8チーム中
旗を取られた
4チームは

わあ
ああ
あ

ここで
脱落する

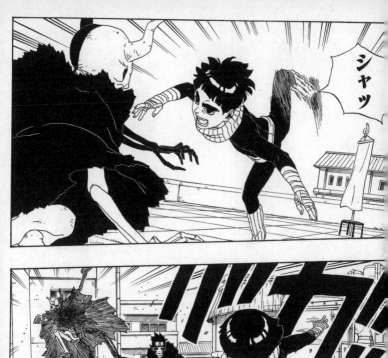

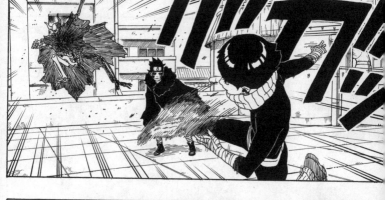

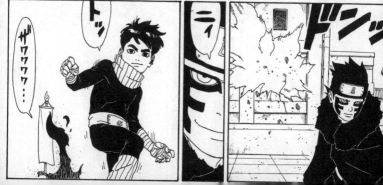

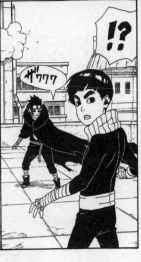

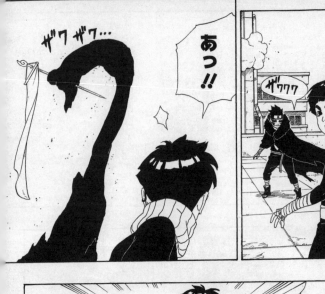

ザワ ザワ…

あっ！！

！？

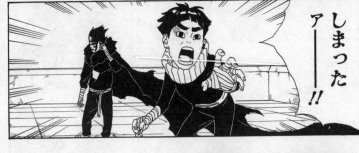

しまった
アーーー！！

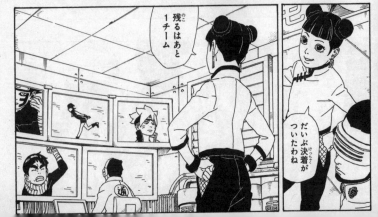

残るはあと
1チーム

だいぶ決着が
ついたわね

旗はオレが守る

安心して攻めろってばさ

頼んだよボルト！

私達の力を七代目に見せるには

へっ！

この二次試験をなんとしても勝ち進まないと！

ザ…

お前に言われるまでもねーよ！

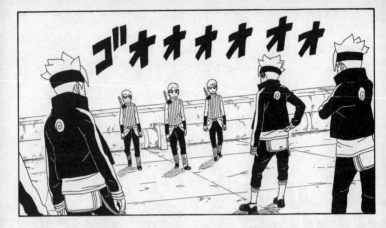

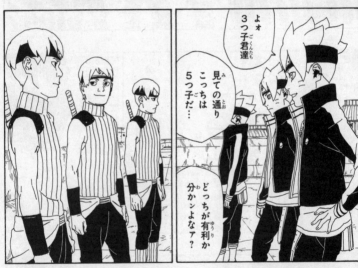

よオ
3つ子君達

見ての通り
こっちは
5つ子だ…

どっちが有利か
分かんよなァ？

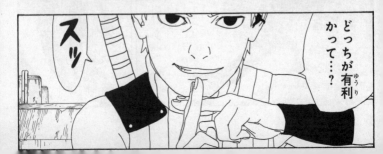

どっちが有利
かって…？

スッ

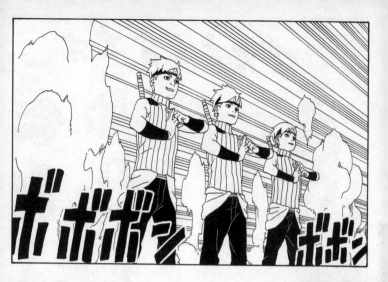

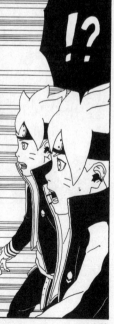

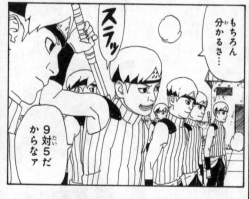

もちろん
分かるさ…

9対5だ
からなァ

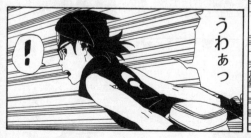

うわっ

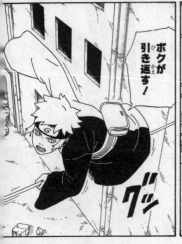

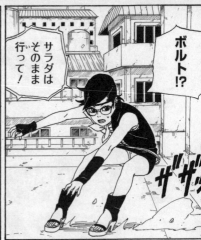

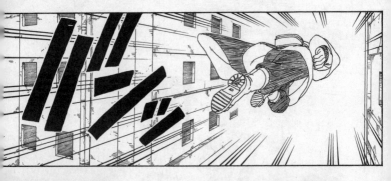

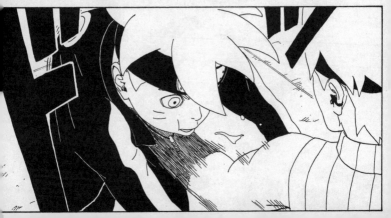

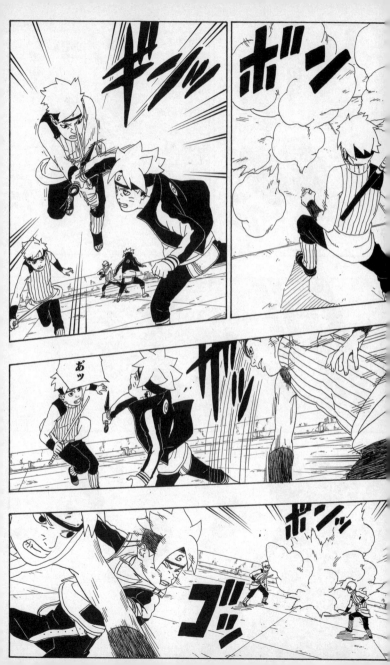

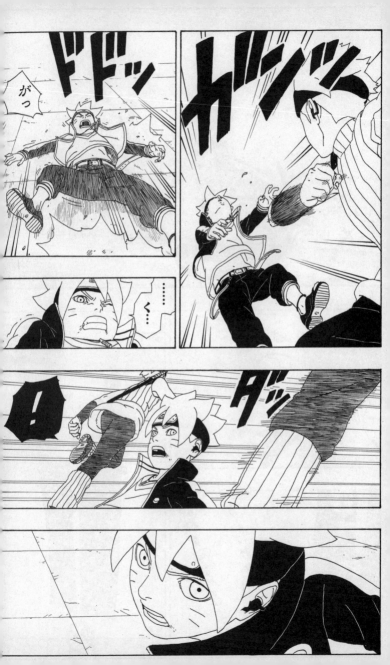

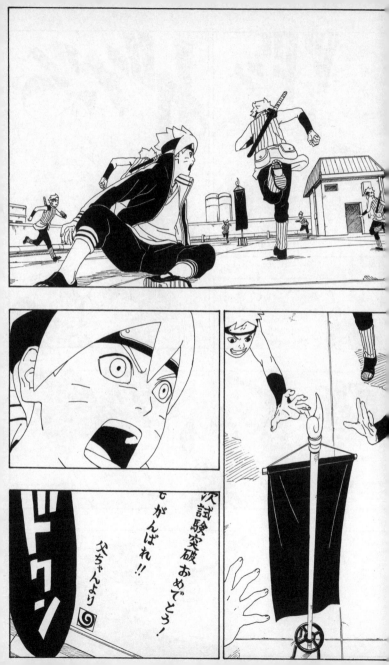

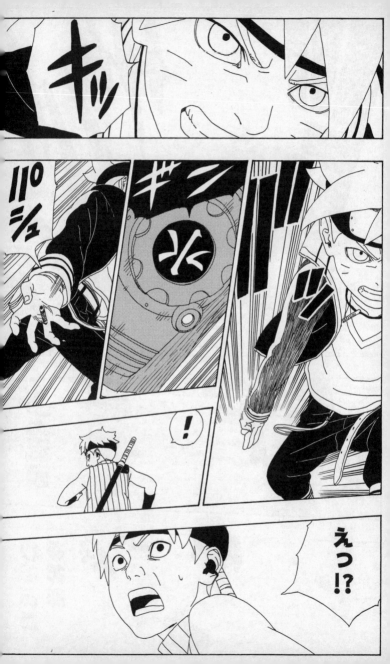

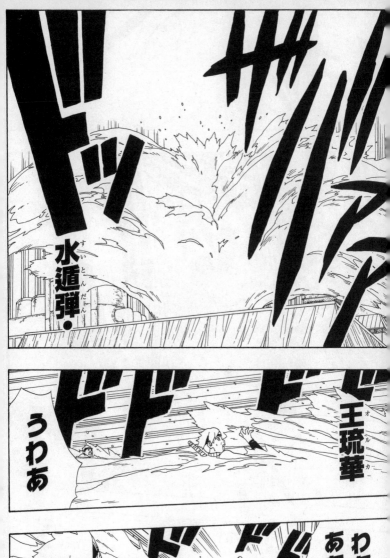

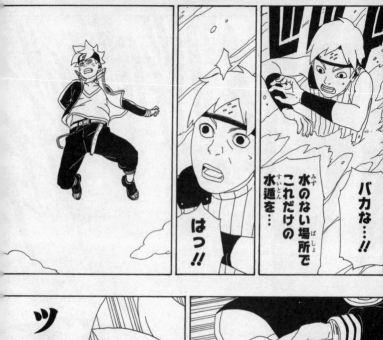

バカな…!!

水のない場所でこれだけの水遁を…

はっ!!

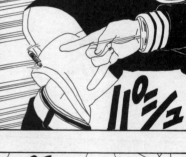

パシュ

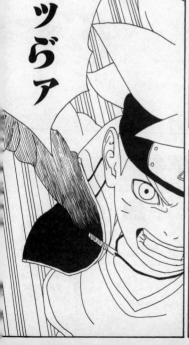

ツらァ

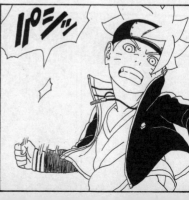

パシッ

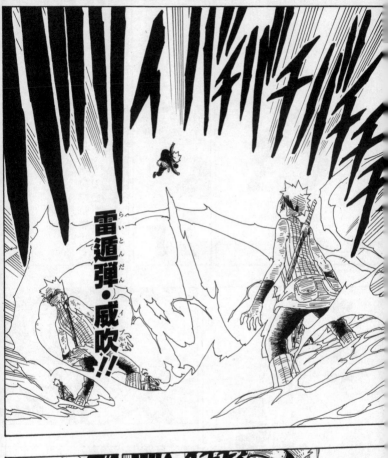

雷遁弾・威吹!!

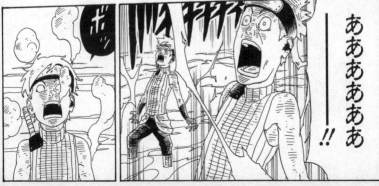

ああああああ——!!

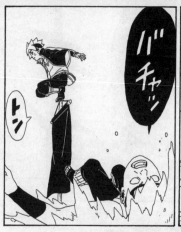

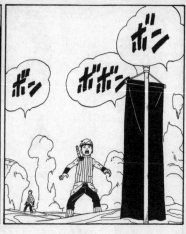

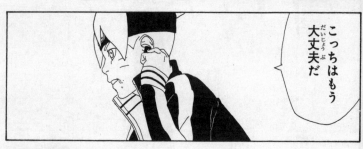

こっちはもう
大丈夫だ

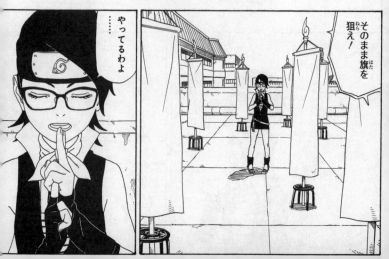

そのまま旗を
狙え！

やってるわよ
……

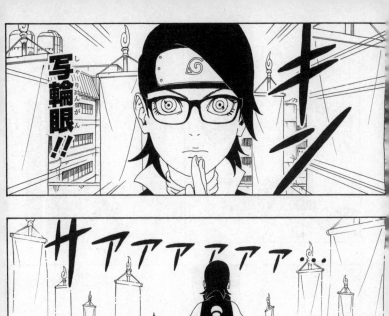

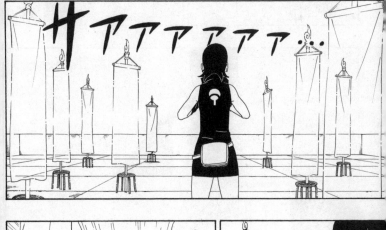

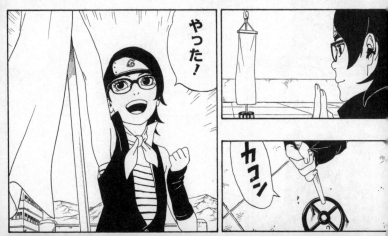

やるわね…
印すら見えない
なんて

さすが
七代目の息子って
ところかしら

これで4チーム
出揃ったわ

終了ね！

…二次も
通りました
今回はアレを
使ったようです

はい…
…ええ
録画済みです

ミツキ

「まぁ ボクには どうでもいいこと なんだけどね」

●能力値／Attributes

体力 Strength……………130

敏捷力 Dexterity…………140

知力 Intelligence…………165

チャクラ Chakra……………?

知覚力 Perception…………123

交渉力 Negotiation…………150

●技能／Skills

隠密行動☆☆☆☆　呪術☆☆☆　医療忍術☆☆☆　ほか

●術・能力／Ninja Arts

潜影蛇手、風遁・突破、蛇分身の術、仙人モード、ほか

※能力値は常人の平均が60、下忍の平均が90。
技能は☆1〜5つまであり、☆5つで超一流。

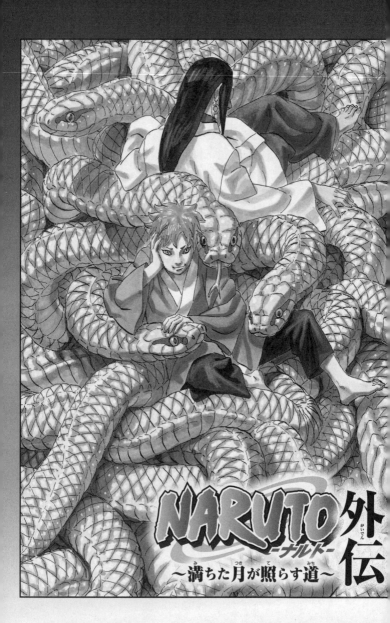

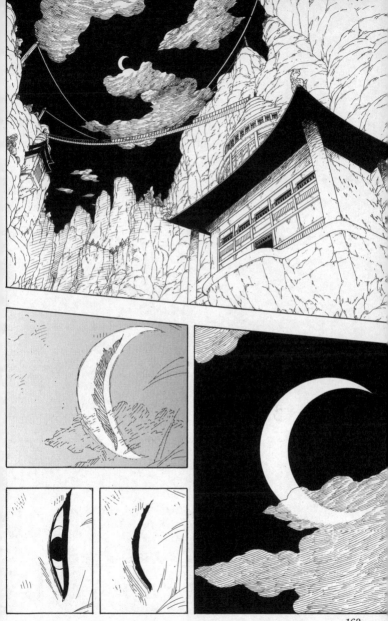

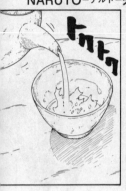

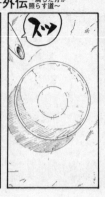

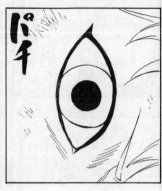

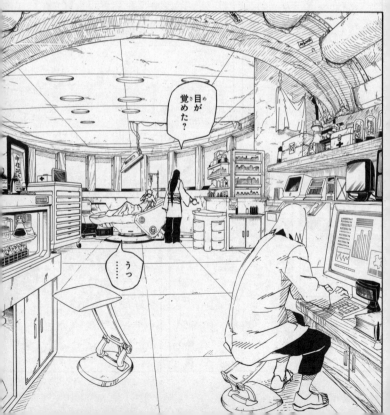

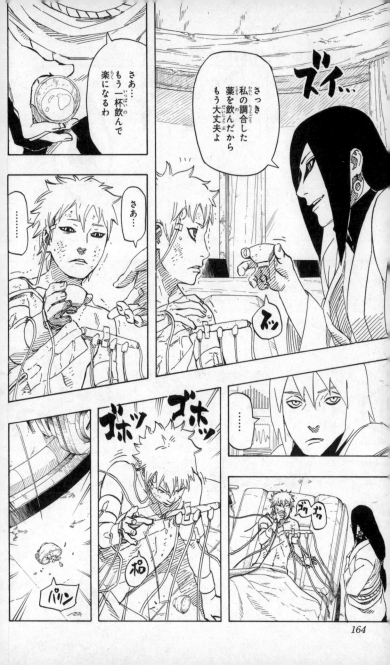

164

……

ウィーン

ちゃんと目が覚めたら私の部屋へ連れて来てちょうだい

後は任せるわ

ドッ…

了解……

……

プシュ

ボクは…

……

……！

……

おい……

大丈夫かい？

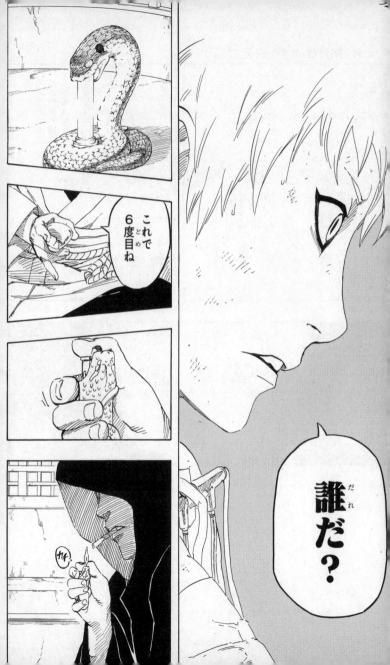

次こそは
うまくいくと
いいけどネ…

…ボクは
どうして
ベッドに？

都合の
悪い事は
忘れるに
かぎるよ…

ザッ

……！

で大蛇丸様が
負傷した
君をかかえ
このアジトに…

…え？

君は大蛇丸様との
ツーマンセルの
極秘任務に
失敗した

覚えて
ない？

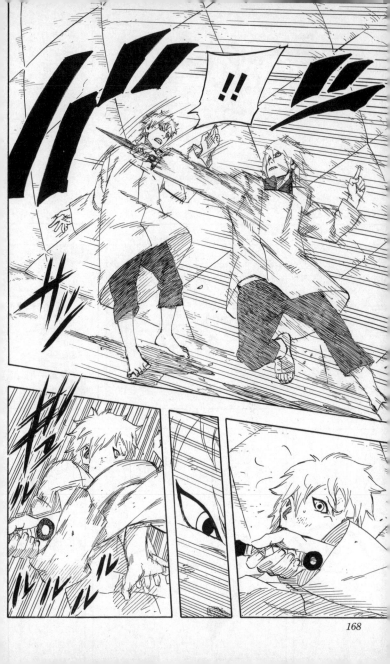

168

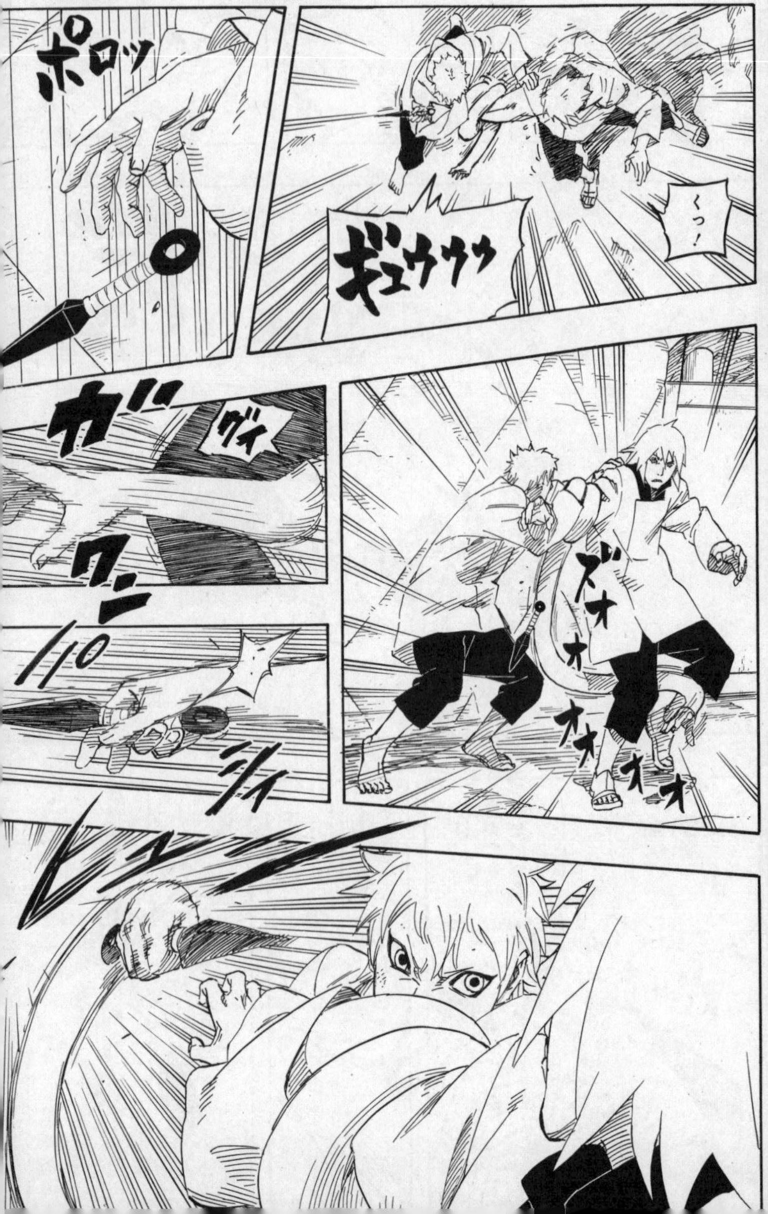
ギュウウウ
くっ！
ポロッ
ズオオオオオオ
グイ
パシィ
ヒュ

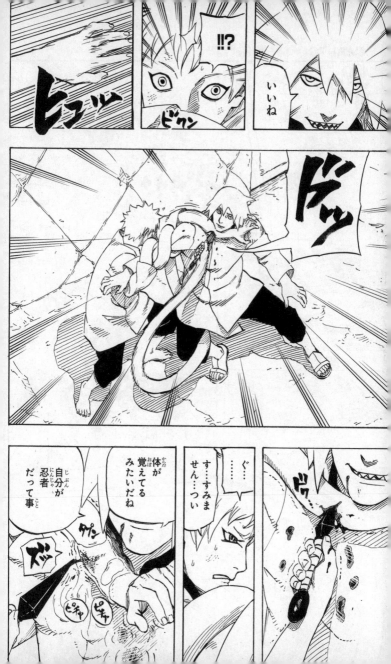

君はある男に捕まり街で記憶を消されたんだよ

え？

なっ…！？

ごめんごめん…ちょっと確かめたくってね

命を消されるよりはまぁよかったとしておこうよ

オロチ…マル…？

…………

忍の才能まで消えてたら…

大蛇丸様ががっかりすると思ってさ…

やっぱりガッカリするかな

いや

ボクの親‥‥？

‥‥‥‥‥

そう‥‥私が大蛇丸

そしてアナタの親

だから記憶を取り戻しに行く

‥そうよ‥だからアナタは私にとって特別なの

‥‥‥‥‥

ズ‥‥‥

記憶を取り戻すって…？

どうやって？

ブウウウウン

！

ピッ

この男は忍…他人の記憶を奪う能力を持つ…

奪った記憶は己の所有物としてストックする

ブジジ…

別の記憶を植え付け人を操る事も…

もちろん奪った記憶をそのまま植え直す事もできる

ミッキ…

アナタはこの男に記憶を奪われたのよ

アナタを元に戻すにはこの男を捕え今までの記憶を植え直すしかない

……

ジジ ジジ…

ボク達はこの男をロ・グと呼び

この能力を "経引きの術" と呼んでる…

もう一度二人でこの男の所へ行くのよ

？……

？……

……！

ちょっと待って

なら

……

174

その前回の任務ってので
ボクとアナタが
この男と
接触したのは

……

何の為？

……

もちろん……
今までこの男が
集めた情報を
全て奪う為よ

コイツを
生け捕りに
してね…

…！

それが…逆に
大切なこちらの
情報を奪われ
ちゃったわけ

アナタこそ
記憶を
改ざん
されているかも
しれないじゃ
ないか!?

そもそも
アナタはボクの
父親母親どっち
なんですか!?

オロチマル
大蛇丸…
って言いました
よね…

アナタも
一緒だったなら

……

そんなの
どっちでも
いい事なの

…何で
こんなに弱い
ボクなんかを連れて
そんな任務に…？

前のアナタなら
私が伝説の
三忍と知ってる

私が
その程度の
忍じゃない
事も…

アナタは
自分自身も
なめてる様ね…

さっき
言った
はずよ…

特別だって…

アナタは
この私の
子供なのよ

今は忘れて
しまって
いるだけ…

私は
アナタが
愛おしい

これは
・・私達親子の・・
為でも
あるのよ

……

……

でも…

176

子供のアナタは私の言う事だけ聞いてればいいの

ボクはただ…

自分が何者か知りたいだけなんだ…

私について来れば解決する事よ

それも

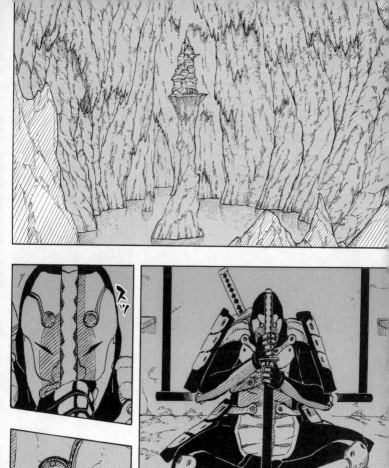

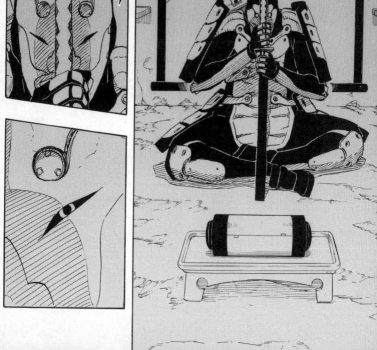

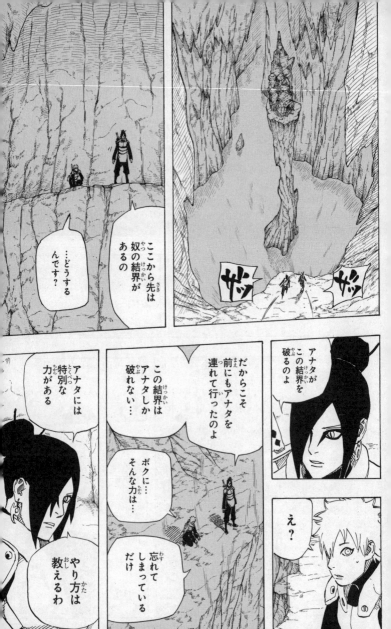

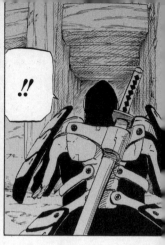

！！

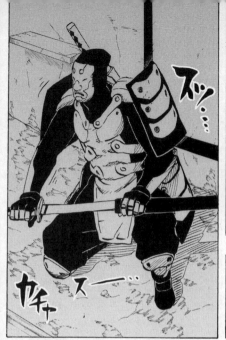

ズッ…

ヤチャ　スー゛

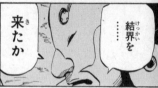

来た結界を
た
か……

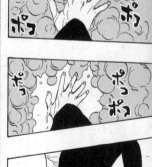

ポ
ポッ
ポ

ポッ
ポ

……

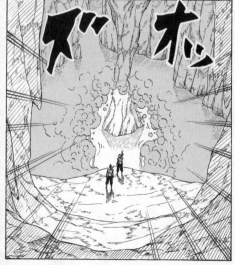

ズ　ホン

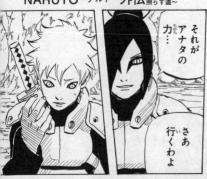

それがアナタの力…

さあ行くわよ

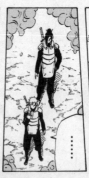

・・・

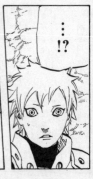

・・・！？

・・・・・・

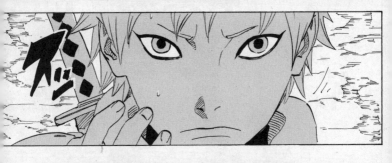

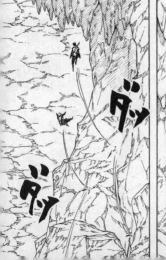

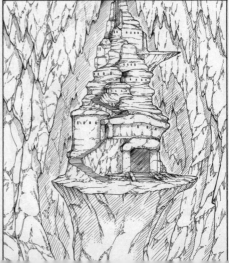

そちら側から
わざわざ
来なくても

こちらからいずれ
出向くつもり
だった

やっぱり
気付かれてた
みたいね……

!?

一緒にね

この子の記憶も

…今度こそ
アレは返して
もらう…

アレを
開ける鍵を
もらいにな…

金縛りの術!!

182

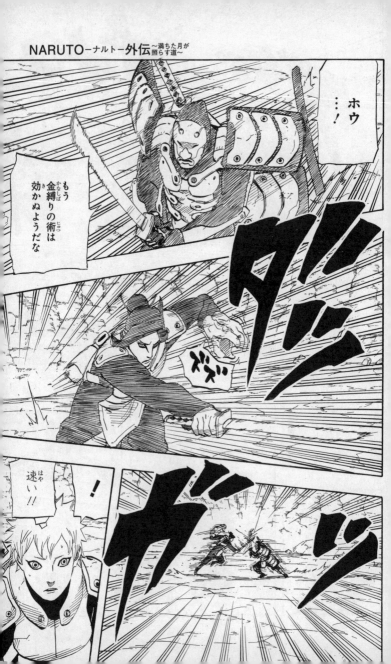

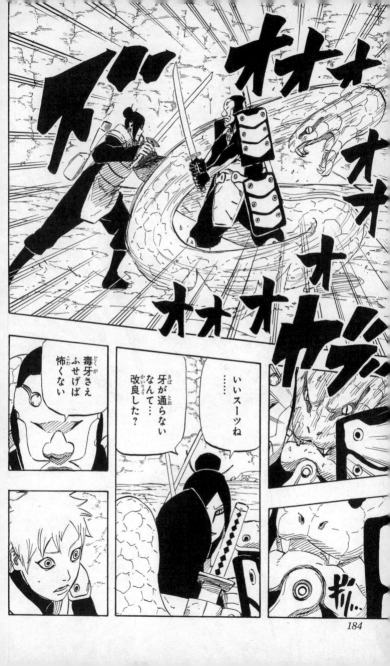

184

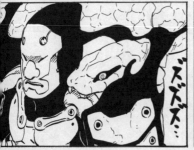

忍法・鎧い食い！！

ズズズ…

ガバッ

ズオオオ

ミツ…キ…

ズズズ…

お前に…は…

前は簡単に逃がしてしまったからなー

…今回はさせん

オオオオ

！

ズオオ

仙人の力が……

後は……

そう…本当に警戒すべきはコイツ…

前回は手をやいた

!!

…フッ…

金縛りの術…解いていなかったのか？

己の力さえ忘れてしまった…

ようだな

体が…

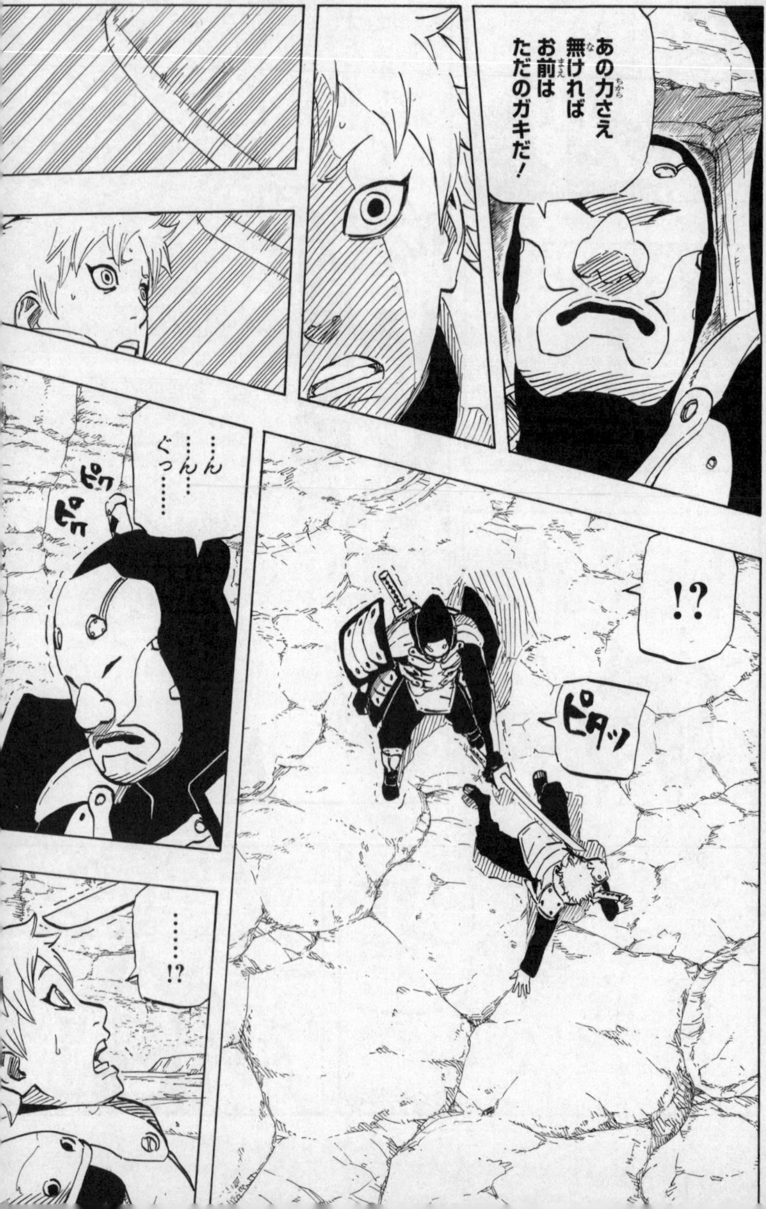

あの力さえ
無ければ
お前は
ただのガキだ！

ぐっ…ん…ん

ピワ
ピワ

！？

ピタッ

…‥

…‥！？

大蛇に気を取られすぎよ…

シュルル…

スッ…

ザァァ…

スーツのスキ間に入れる小さな蛇でも毒の力は充分だ

…………

いつの間に…

ポト

呪印の毒で当分は動けもしゃべれもしないわ

ミツキアナタは少しの間こいつを見張ってなさい

私はここで探し物がある…

すぐに見つけてくるわ

スッ…

もう動けるでしょ…？

どうするの？

188

決してそいつに近づいてはダメよ…

……

ピク　ピク

ズッ

ザッ

…ハァハァ…

…強い…

…毒だ…

!?

カリ…

心配するな…しゃべるのがやっとだ

用意していた解毒薬も…この程度だったか…

……

だがこのままでは苦しい…

……

こっちへ…来てオレの…面を…取ってくれ

……

ピク

…？

…一つ言っておく

いや…この面を取れば…その逆だと分かる…

ボクをだます気…？

!?

お前を…だまして…いるのは…大蛇丸の方だ

今のお前の混乱する気持ちはよく…分かる…

どうせ大蛇丸からは本当の事は何も…知らされていないだろう

・・・オレの時と…同じならばな・・・・

…お前は分かっているのか？

本当は自分が何者なのか…

…！

ボ…ボクは…

大蛇丸の…子供で…それで…

…前に余計な記憶は消してやったというのに…

今度はそれを逆に利用されたか…

！？

……さあ

こっちへ来て…面を…取ってくれ…

オレもお前と同じ…

パチ

パチ

ガバ

ズッ

……！

ズズズ…

オレも…ミツキだ

お前より…先に・・・・造られたな

…どういう…事?

そうだ…オレ達は大蛇丸が造った人造人間…

…奴の欲を満たす為の器

ガシャ

…!?

器はかつて
坏と呼ばれ

十二支の
第六…
巳は蛇に
当たる事
から

オレ達は
巳坏と
名付けられた

…人造…
人間！？

ここで奴が
探しているモノは…
オレ達の元となった
胚だ

それを
培養して
オレ達は
造られた

ここに入る
結果を
解けたのも
そのおかげだ

オレはその胚を
大蛇丸から盗み出し
処分する…
ハズだった…

…だが…
その胚の入った
ケースを…
開けるには…

大蛇丸が
持っている鍵が
必要だった

…？

どうして
処分しようと
？

それは人の
エゴが…
造り出した
身勝手な
造作物だ

人工的に
造られた
生命は…
人間ではない！

自然をねじ曲げた神の真似事

大蛇丸の自己愛を投影した欲の器そのものだ

大蛇丸の息子として造られ…優秀だったオレが奴の元から去った事で

その代わりが欲しかった……

大蛇丸は…自分の都合でオレやお前のような存在をどんどんと造る

オレもお前もこの世に存在すべきではないのだ…

…オレが本来あるべき形に…戻す

その前に…大蛇丸お前を始末するがな

どんな工程で生まれて来たにせよあなた達は他と何も変わらない

！

あなた達は私が愛してやまない完全無欠の子供よ

私以上の力を秘めてる

その存在をどれ程待ち望んでいた事か…

…私のような忍が子を望むのはいけない事かしら？

人が唯一何をしても許されるべき事があるとするなら…

それは・・愛の為の・・行為・・

くっ…！

スッ…

それは思い上がった行為の免罪符のつもりか!?

……

全てをコントロールできるとでも思ってるのか!?

神の真似事をしているつもりはない…

神が私達にあたえてくれたものに従っているだけ…

……

それだけよ

……

ミツキ!お前は今はまだ子供で分からないかもしれないが

いずれこの間違いに気付く!

お前が大蛇丸を止めるんだ!

お前が言ってるんだ

大人になったお前が必ずそうする時が来る!

196

ミツキ……
こっちへ
いらっしゃい

胚も取り戻した
……鍵も
私の手にある

！

こいつは
子供のアナタを
だまそうとして
いるのよ！

ミツキ

アナタには
もっといい
兄弟を
造ってあげるわ

おい！
ミツキ！

ミツキ
さあ…

子供の
…ボクにとって

……

……

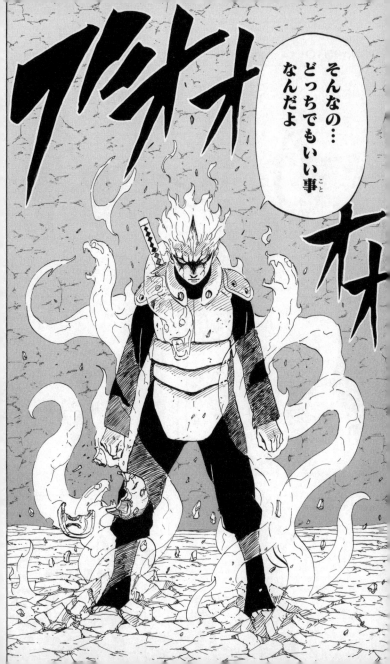

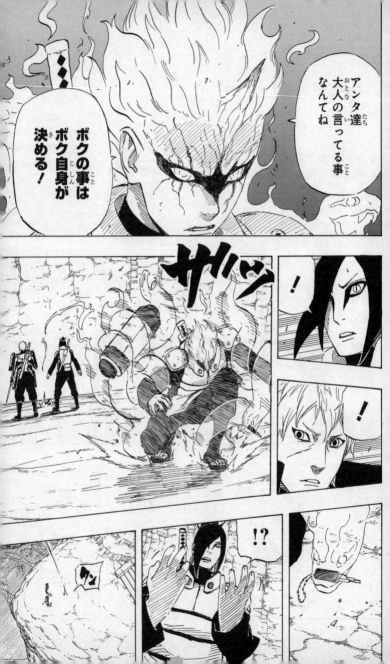

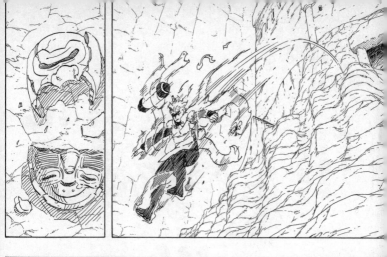

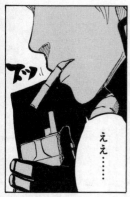

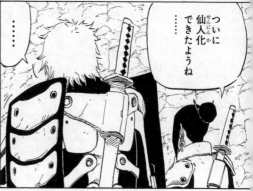

ついに仙人化できたようね

……

ええ……

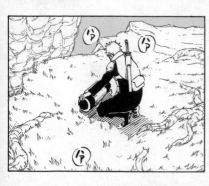

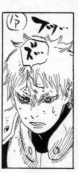

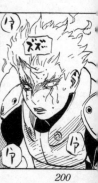

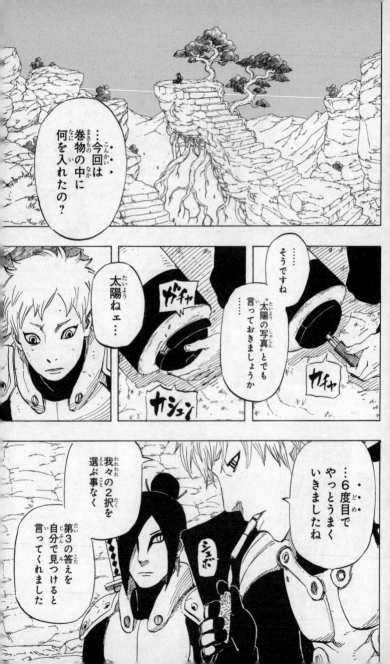

けど……
このまま
うまくいく
かしら？

7度目が
無ければ
いいけど……

もう記憶を
とばす薬も
使いたくは
ないしね…

ズイ、、

……

自分の道を
持てた
人造人間……

あの子なら
闇を
照らせる

光にはなれない
…そういう
子達だと
思ってた……

アナタも
そして
あの子も

これは望んだ
結果でしょ？
…こんな
手の込んだ
芝居までやって…

アナタ達は
私の子供
だからね…

……

202

しかし側（そば）にいて
あの子を照らしてくれる
太陽（たいよう）を
見（み）つけられたなら

あの子（こ）は
自ら光（ひかり）には
なれない
でしょうね

まあ
……
でも
……

あの子自身（じしん）も
月光（げっこう）となって
闇（やみ）を照（て）らす
でしょう

スッ…

地中（ちちゅう）の
闇（やみ）の坏（つき）
じゃなく
……

夜空（よぞら）の
闇（やみ）の月（つき）って
とこかしら
……

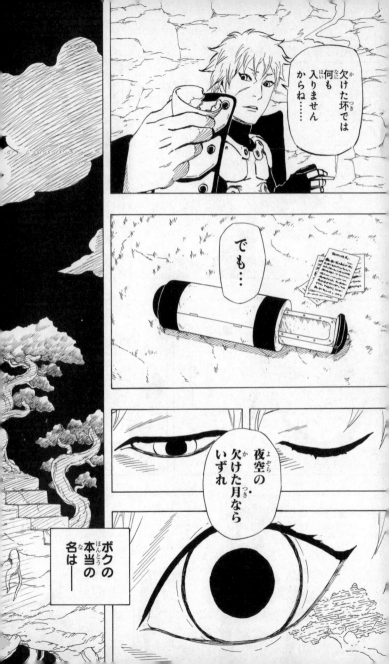

巳月
ミツキ

NARUTO—ナルト—外伝 〜満ちた月が照らす道〜 (完)

BORUクラ!!!

週刊少年ジャンプでも大好評の「BORUTOクラスタ」略して「BORUクラ!!!」がコミックスでも掲載決定。記念すべき第1回はボルトのフレンド紹介だってばさ！ボルトファンなら要チェック!!

ボルトのフレンド紹介

第1回は、ボルトの同期で関わりの深い面子を紹介していくぞ!!

うちはサラダ

火影になるのが私の夢なの！

その夢をジャマしようっての？

たまにオレにつっかかってくるメガネヤローだ!!火影になりたいーなんて変わったヤツだってばさ…

Friends Comment

←夢に向かって一直線！邪魔する者は許さない!?

誕生日：3月31日
好きな食べ物：紅茶系の味のもの
嫌いな食べ物：トマト
趣味：読書（歴史物、ミステリー）

ミツキ

何かあっちに気にある感じなのよね…マジカンベン！

中忍試験はスリーマンセルが原則だよ君が書かなきゃボクらも出られない

←ミツキはいつも沈着冷静。怒った顔も見てみたい。

Friends Comment

誕生日：7月25日
好きな食べ物：スクランブルエッグ
嫌いな食べ物：ウロコのある動物の肉
趣味：データブック読書、カードゲーム

奈良シカダイ

母ちゃんの目え盗んでコツコツレベル上げるから楽しーシーンだよ…

こーいうのはよ…

ゲーム強くてあんま勝てない…あと寝坊しすぎ!!

誕生日：9月23日
好きな食べ物：刺身、水茄子
嫌いな食べ物：ほうれん草
趣味：将棋、ゲーム（シミュレーション）、昼寝

↑ゲームが大好き！めんどうくさがり屋は親譲り!?

山中いのじん

オイ聞いてンのかよデブ！

ちょいちょい毒舌を吐くらしい。今後注目の一人!!

え…？うん・絵が上手だよねあと毒舌らしいけど私特によく言われたことないからよくわかんないな…

誕生日：12月5日
好きな食べ物：チーズ、たこ焼き
嫌いな食べ物：脂身
趣味：絵を描くこと、ゲーム（FPS）

秋道チョウチョウ

←いつでもどこでもポリポリ食べるマイウェイ。

秋道さんは目立つからどこにいても何しててもすぐに分かるね！大丈夫!!

ボクは一!?ボクは一!?

誕生日：8月8日
好きな食べ物：大体なんでも
嫌いな食べ物：ほとんど何も
趣味：食べ比べ、TVドラマ鑑賞

■ジャンプ コミックス■

BORUTO-ボルト- -NARUTO NEXT GENERATIONS- **1**

うずまきボルト!!

2016年8月9日第1刷発行

著 者	岸本斉史	
	©Masashi Kishimoto 2016	
	池本幹雄	
	©Mikio Ikemoto 2016	
	小太刀右京	
	©Ukyo Kodachi 2016	
編 集	株式会社 ホーム社	
	〒101-0051 東京都千代田区神田神保町3丁目29番 共同ビル	
	電話 東京 03(5211)2651	
発行人	鈴木晴彦	
発行所	株式会社 集英社	
	〒101-8050 東京都千代田区一ツ橋2丁目5番10号	
	03(3230)6233(編集部)	
	電話 東京 03(3230)6393(販売部・書店専用)	
	03(3230)6076(読者係)	
製版所	株式会社 コスモグラフィック	
印刷所	共同印刷株式会社	

ISBN978-4-08-880756-0　C9979　　　　　　　　　Printed in Japan

■初出／週刊少年ジャンプ2016年21・22合併号、23号、27号、32号掲載分収録
■編集協力／由木デザイン
■カバー、表紙デザイン／原 武大(Freiheit)